*A mi amiga inolvidable Magda Rodríguez,
quien vivió cada segundo de su vida intensamente,
pero a quien el tiempo no le dio permiso
para leer este libro.*

A ti que nunca tienes tiempo...

¿Por qué una persona que no ha tenido tiempo de luchar por sus sueños sí va a tener tiempo para leer este libro? Porque el solo hecho de estar leyendo esto debe ser una señal de que le llegó la hora de no seguir posponiendo su felicidad.
-Luz María Doria

Publicado por Aurum Books 79
Una división de Bridger Communications
Miami - Florida

Este libro es una publicación original de Luz María Doria
Primera impresión: Enero 2021
Copyright: Luz María Doria
Fotografías: Mónica Molina - MJMolina Photography

ISBN 978-1-7359231-3-0

Ricardo Mejía y Pablo Soler
Diseño por: DEKA, Eduar Colorado, Jose Daniel Restrepo
Edición: Sigal Ratner-Arias
Proofreading: Sigal Ratner-Arias

Sigue a Luz María Doria
IG @luzmadoria

Aurum Books 79
Síguenos
IG @aurumbooks79

Para talleres y charlas escribe a: info@bcommideas.com

LUZ MARÍA DORIA

Luz María Doria, conferencista y autora de La mujer de mis sueños (Aguilar, 2016) y Tu momento estelar (Aguilar, 2018) es una de las más influyentes ejecutivas de la televisión hispana en Estados Unidos. Periodista y productora con 30 años de experiencia, actualmente se desempeña como vicepresidenta y productora ejecutiva del programa diario matutino Despierta América de la cadena Univision. Nacida en Cartagena, Colombia, Luz María inició su carrera como reportera en Editorial Televisa, en las revistas Cosmopolitan y TVyNovelas USA, llegando a ser directora de Cristina, la revista, de Cristina Saralegui con quien además colaboró en su programa televisivo y radial. Fue directora de Entretenimiento de la cadena TeleFutura (de Univision), donde supervisaba dos programas diarios: Escándalo TV y La tijera. Además de sus obligaciones con Despierta América, Luz María publica una columna en los periódicos La Opinión de Los Ángeles y Diario la Prensa de Nueva York y es colaboradora de la revista Nexos y de programa radial del Dr Cèsar Lozano, "Por el Placer de Vivir". En 2009 y, de nuevo, en 2019 fue nombrada una de las 25 mujeres más poderosas por la revista People en español y ha sido dos veces ganadora del Premio Emmy.

CONTENIDO

El ARTE
no quedarte con
ganas

PRÓLOGO

Por Sigal Ratner-Arias

Para lo que estás haciendo. Silencia tu teléfono. Pon un aviso en la puerta de "no molestar".

Las páginas que leerás a continuación podrían cambiarte la vida. Podrían ser el detonante que te lleve a cumplir ese sueño de infancia, a atreverte a avanzar, a alcanzar tu máximo potencial.

Luz María Doria lo hace de nuevo con "El arte de no quedarte con las ganas". La autora de "La mujer de mis sueños" y "Tu momento estelar" comparte las reflexiones y aprendizajes que le ha dejado la pandemia y, en medio de tanto dolor e incertidumbre, nos motiva a sacarle el máximo provecho al tiempo en beneficio de nuestra felicidad y bienestar emocional.

Y no es de extrañar. Desde que conocí a Luzma – como muchos la llamamos – hace casi una década, pude percibir de inmediato su don de ayudar, su alegría genuina por el éxito del otro, su actitud positiva ante la vida y, haciendo honor a su nombre, su luz.

No en vano vi a nuestra agente literaria Aleyso Bridger, mientras Luzma nos apoyaba con la promoción de "64: una novela" en su programa "Despierta América", tratar de persuadirla a que escribiera su primer libro porque sabía que sería un éxito. Luz María es una motivadora innata que, tras años ayudando a lanzar y promover las carreras de muchos grandes – primero como periodista de revistas, luego como productora de televisión – tenía mucho que ofrecer. Y Aleyso no se equivocó.

A sus 55 años Luzma me ha confesado que, después de los 50, ella todo lo hace aterrada, pero lo hace. Esto ha incluido desde participar en grandes conferencias ante miles de personas en un idioma que no es el suyo, hasta lanzarse a hacer *lives* en Instagram con grandes personalidades y abrir su propio canal de YouTube. ¡Se acabaron las excusas!

Es que no se trata de hacer que el miedo desaparezca, sino de atreverse a hacerle frente y dominarlo, y en eso Luzma se ha vuelto una experta. También se trata, como ella explica en este libro, de establecer prioridades que nos ayuden a encontrar el balance entre lo que debemos y lo que queremos hacer, entre trabajo y familia, entre responsabilidad y placer. Y de manejar el tiempo en función de ese equilibrio. El "tiempo perfecto" es ahora, escribe, "es ese tiempo en el que uno toma acción".

Desde que leí "El arte de no quedarte con las ganas", que además tuve el honor de editar, me he sorprendido a mí misma diciendo más "no gracias" a cosas que no me llenan o que siento que me hacen perder el tiempo, y más "sí por favor" a aquello que me apasiona o me inspira. Incluso me he salido de mi zona de confort aceptando, por ejemplo, hacer entrevistas en cámara – siendo yo la entrevistada, pues como periodista estoy más que acostumbrada a estar "del otro lado" – o proponiendo yo misma escribir este, mi primer prólogo de un libro.

Y es que necesitaba ratificarte que tienes el libro correcto en tus manos. Seas joven o mayor, estés o no feliz con lo que haces o en busca de materializar una idea o sueño incumplido, este es el momento de revisar hábitos y rutinas, hacer listas de prioridades y aprender a administrar el tiempo (sobre todo ahora que quizás tengas un poco extra debido a la pandemia).

Yo ya aparté dos horas diarias para terminar mi segunda novela y no dudo que releeré a Luzma en esos días que decaiga.

Y tú, ¿estás list@ para trabajar en una vida plena y no quedarte con las ganas?

Rescata el valor de tu tiempo y, con él, te rescatarás a ti.

Tú también lo mereces.

El ARTE no quedarte con ganas

1
TAL VEZ NECESITES LEER ESTO HOY...

"Tu tiempo es ahora, no lo desperdicies pensando en lo que pudo haber sido y no fue"

– Steve Jobs

Empiezo a escribir este libro pensando en ti sin ni siquiera conocerte.

Y te imagino llen@ de planes para un 2020 que de pronto te cerró las puertas en la cara, te puso una máscara y te dejó con las ganas de vivirlo a plenitud como quizás te lo prometiste a ti mism@ mientras te atragantabas con aquellas 12 uvas sazonadas de deseos a las 11:59 de la noche el 31 de diciembre del 2019.

Nunca los seres humanos alrededor del mundo nos habíamos parecido tanto. Y no sólo porque todos aparecimos de pronto cubiertos con un tapabocas y nos distanciamos 6 pies de la gente, sino porque todos, por primera vez, tuvimos a quién echarle la culpa de no haber logrado lo que queríamos en el 2020.

El 2020 era un año que se suponía iba a ser reflejo de una visión muy clara.

Pero en vez de claridad vivimos una oscuridad producida por la incertidumbre, sin respuestas y en la búsqueda de cómo protegernos de un enemigo invisible.

El 2020 nos puso a la muerte cerquita y el miedo llegó de invitado a abrazarnos.

Y cuando uno tiene la muerte tan cerquita, uno comienza a pensar más en la vida.

No poder estar afuera nos obligó a mirar hacia dentro.

Sí, hay que aceptarlo, el 2020 para muchos resultó un caos... Gracias a eso hoy podemos decir sin temor a que nos juzguen que la culpa de todos los sueños inconclusos del 2020 la tuvo esta vez el coronavirus.

Para otros, sin embargo, fue el año quizás más importante de su existencia porque fue el que más lecciones les dejó.

Lecciones que hay que empezar a aplicar ya en el 2021.

¿Pero a quién le podemos echar la culpa de todas esas ganas con las que nos hemos quedado a lo largo de nuestras vidas, de todos esos planes que se fueron a vivir al planeta del *No Tengo Tiempo*?

Siempre he pensado que, con pandemia o sin pandemia, debería existir una ley de vida que le prohíba a los seres humanos quedarse con las ganas de hacer algo, sin saborear ese momento grandioso en el que uno se siente absolutamente feliz y agradecido. Ese momento en que te das cuenta de que todo, absolutamente todo, valió la pena. Ese momento que te revuelve la sangre, te impulsa a seguir inventando nuevas maneras y te hace saltar de la cama todos los días con una ilusión.

Tal vez si desde niños supiéramos que nos iban a multar por no haber intentado cumplir nuestros sueños, no decaeríamos con tanta frecuencia en el intento de lograrlos.

Y empiezo a escribir este libro en medio de la pandemia precisamente porque no quiero quedarme con las ganas de que tú lo leas y de acompañarte en este nuevo camino.

Porque te imagino luchando todos los días con esos demonios que dejaste entrar a ese espacio donde antes apenas cabías tú. Tratando de no ahogarte en esa corriente que te arrastra a un mar de deudas y de dudas. Intentando hacer 10 cosas que tienes pendientes a la vez y descuidando las más importantes. Volviéndote loc@ con marido o mujer e hijos.

Te imagino dando vueltas en la cama de noche sin poder dormir por culpa de la tristeza o la soledad, de los recuerdos o la rabia, pero despiert@ a la hora en que el mundo duerme y tú mereces descansar. Te imagino sobreviviendo día a día sin que te pase eso de lo que todos los triunfadores hablan y dicen que se siente tan rico, pero que tú a veces ves como un imposible. Eso de lo que todos parecen tener la fórmula... menos tú.

Hoy quiero que te vayas a dormir en paz. Que pienses que en el guion de tu vida, que ya está escrito, todavía hay un montón de personas maravillosas por conocer y amar, y que llegarán a servirte de puente a ese lugar de tu vida donde empezarás a calmar todas tus ganas.

Durante el 2020 llegaron a mi vida varias de esas personas de las que te hablo, personas de las que aprendí tanto que no quiero esperar más para compartir contigo lo que me enseñaron. Y tuve el privilegio de entrevistar a muchas de ellas para este libro. Me atreví a escribirles y respondieron. De alguna manera me acompañaron, sin saberlo, durante esos meses en los que parecía que nadie tenía las respuestas... todo eran preguntas.

Pregunté, aprendí, sentí, analicé, leí, releí. Y escribí, y escribí.

Escribo este libro porque quiero sentir que, aunque la pandemia nos quitó muchas libertades, nunca nos podrá quitar la hermosa libertad que nos da el poder de servir.

Porque llegó la hora de que aprendas el arte de no quedarte con las ganas y le ganes la batalla al tiempo.

Y quizás en este punto estés pensando: "Si esta señora supiera todo lo que he vivido... Si fuera tan fácil como ella lo describe".

No tengo que estar hablando en este momento contigo cara a cara para imaginarme que la has pasado mal, que la pandemia dejó su huella en ti.

A todos nos pasó y de una u otra manera nos afectó. Yo he pasado días pensando, *¿y si nada vuelve a ser como antes?*

20

Nadie tiene la respuesta.

Lo que sí podemos hacer es pensar que nada volverá a ser como antes porque puede ser mucho mejor. Te invito a que no te quedes enganchad@ en esos momentos a los que ya hay que pasarles la página.

Empieza a escribir hoy mismo las nuevas alegrías que quieres que entren a tu vida.

Sólo tú tienes el poder de crearlas.

No le cedas esa gran responsabilidad a nadie más.

La confirmación de esta intención que le estoy enviando al Universo aparece como una gran señal mientras escribo este libro. Y son de esas señales en las que creo ciegamente porque siempre me llegan en los momentos perfectos. Y es en ese momento justo cuando escucho la pregunta que Jay Shetty, autor de *"Think Like a Monk"*, o *"Piensa como un monje"*, le hace al público durante una entrevista en vivo con Gabrielle Bernstein:

"¿Qué le vas a decir a tus nietos cuando te pregunten qué hiciste durante la pandemia del coronavirus? Ojalá puedas decirles: *Me uní a una gran causa, voté por primera vez en mi vida, conocí lo que era la resiliencia...*"

Yo también quiero contarles a mis nietos que en el 2020, mientras todos luchábamos con nuestros propios demonios, un día se me ocurrió escribir un libro que hizo reflexionar a quienes lo leyeron sobre el uso que le estábamos dando a nuestro tiempo, y que con ese libro ayudé a cumplirle un sueño a alguien que me ayudó primero a cumplir un sueño mío.

Sí, yo sé que alguien, y espero que seas tú, necesita leer esto hoy para nunca más quedarse con las ganas de nada. Porque es cierto que esta crisis mundial que puso en pausa al mundo nos hizo crecer como seres humanos, y también nos dejó con muchas ganas de crear cosas nuevas, de no seguir sintiendo que no pasa nada. De sentir que podemos tener control sobre algo.

Y ese algo puede ser el uso que le demos al tiempo y la capacidad de diseñar nuestra nueva realidad tal y como siempre la hemos querido ver.

Y esas ganas que sentimos se las vamos a mandar desde este preciso momento al Universo con la intención de que regresen a tu vida convertidas en sueños cumplidos.

Empecemos.

"¡FELICIDADES! ¡USTED SE HA AHORRADO 113 HORAS DE SU TIEMPO!"

El coronavirus nos encerró a todos con llave. Nos dejó de pronto sin fecha para las próximas vacaciones. Se cancelaron grandes eventos. Cerraron los grandes almacenes. Se vaciaron los aeropuertos, las agendas, y fue en ese instante que entendí perfectamente que tenía que aprovechar más el tiempo.

Mi ritmo de vida es tan frenético como el de cualquier otra persona que trabaje en un programa de televisión en vivo de cuatro horas, de lunes a viernes. Mi día comienza de noche en una carretera sin tráfico que me lleva a un edificio donde todo el mundo vive corriendo. Es el edificio de Noticias Univision: Newsport. Allí paso hasta las 11 de la mañana en un *Control Room* oscuro desde donde se transmite en vivo "Despierta América", el *show* de las mañanas de la Cadena Univision. En este Control Room se grita igual de rabia que de alegría, se brinca, se abraza, se llora, se baila, se ríe...

Ese *Control Room* se parece mucho a la vida. Ahí, durante cuatro horas, tratamos de brindar esperanza, de alegrar, de informar para que la que gente que nos ve pueda tomar mejores decisiones.

A las 11 a.m. todos nos calmamos, salimos de ahí como si nada hubiera pasado y agarramos fuerzas para ir a un salón de conferencias iluminado y grande donde hablamos del programa que acabamos de hacer y planeamos el del día siguiente. Después casi siempre hay un almuerzo al que siguen más reuniones, dentro y fuera de la oficina, y llamadas y más llamadas que cambian los planes del día siguiente. Lo que nunca hay son dos días iguales. Y siempre, siempre, está ese *corre corre* que nos hace sentir que no todo podrá caber en un solo día.

Lo que más me ha impactado a mí personalmente durante esta pandemia es la manera en la que hemos manejado los nuevos hilos del tiempo. Sobre todo si lo comparamos a cómo los manejábamos antes. Sí, de pronto me di cuenta de que esas mismas 24 horas diarias que llevo viviendo 55 años caben más cómodamente en mi vida. De un día para el otro eliminamos la manejada a la oficina, los trancones, la búsqueda de parqueo, los almuerzos de negocios, las cenas de negocios. Los *meetings* en persona, los viajes, las idas a la peluquería, las citas para hacerse las uñas... Los sábados y domingos no volvimos al cine o el teatro ni salimos a cenar a nuestro restaurante favorito. Tampoco fuimos al *mall* a cazar buenas rebajas.

Se acabaron los traslados.

Quienes vivimos en Estados Unidos empezamos a usar más una aplicación llamada Instacart que te lleva las compras a tu casa, y gracias a ella eliminamos el viaje al supermercado, el paseo por los pasillos con el carrito, la fila en la caja registradora...

Casualmente esta semana Instacart me sorprendió con un texto que decía:

¡Felicidades! ¡Usted se ha ahorrado 113 horas de su tiempo!

Y me sorprendí porque nunca pensé, lo confieso, que en un periodo normal de siete meses yo hubiera pasado 113 horas en un supermercado, como tampoco me hubiera imaginado que uno pasa la tercera parte de su vida durmiendo. O sea que a los 60 vas a tener un acumulado de 20 años durmiendo (en mi caso como 30, porque los fines de semana me desquito de los madrugones que me pego de lunes a viernes). También leí que pasamos más de 11 años de nuestras vidas pegados al televisor (algo que tengo que agradecer, porque gracias a eso aún tengo trabajo y de hecho tengo que pasar 20 horas a la semana pegada a la TV). Esos tiempos, sin duda, pueden ser usados a nuestro favor.

Durante la pandemia, al igual que tú, cambié mis hábitos. Aparte de no ir al supermercado, tampoco volví a la iglesia los domingos. Desde que empezó la crisis sanitaria veo la misa dominical del padre Fernando Carmona desde la Iglesia de San Patricio en Miami Beach en mi teléfono y rezo el rosario con varias compañeras de trabajo todas las tardes, también con mi celular. Un domingo que no transmitieron la misa del padre Carmona en vivo, escuché al papa Francisco decir durante su misa en Santa Marta desde el Vaticano que la misa virtual sólo era justificada por la pandemia, porque la misa era en realidad la unión de la comunidad en la iglesia. Si el papa hubiera sabido que además durante la misa que vi por YouTube salían propagandas políticas de Trump en contra de Biden que interrumpían la homilía, seguramente temblaba el Vaticano.

Bienvenidos a la nueva normalidad.

Todo, absolutamente todo, lo empecé a manejar desde mi teléfono: Skype, Webex, Zoom, Microsoft Teams, StreamYard, Uber Eats, Kindle, Amazon, y las misas del padre Carmona en vivo y sin comerciales por Instagram. Incluso una aplicación desde el teléfono me permite ahora hablar con los talentos de "Despierta América" en el estudio mientras yo estoy en mi casa... Ni viendo a "Los Supersónicos" (*The Jetsons*) me lo hubiera imaginado. Me empezó a rendir más el tiempo y me invadió una sensación parecida a la que experimentamos cuando esos jeans que teníamos escondidos porque nos quedaban apretados se deslizan suavecito después de la dieta. Sí, el tiempo de pandemia se parece a esos *jeans* que un día suben de tus piernas hasta la cintura permitiendo que el cierre *cierre* y nuestro cuerpo se acomode perfectamente en ellos. Eso mismo se siente cuando de pronto el tiempo alcanza y todo se acomoda perfectamente en él.

Esa falsa calma que de pronto se apoderó de nuestra vida, combinada con la incertidumbre que de un día a otro nos dejó sin saber hasta cuándo duraría esta nueva normalidad, tuvo la culpa de que me obsesionara con sacarle más provecho al presente. A veces pienso que el exceso de responsabilidad con el que nos criaron también tuvo que ver. El hecho de trabajar desde casa, sin bañarnos y en pijama, nos obligó a demostrar que no estábamos perdiendo el tiempo por el solo hecho de ya no estar en la oficina.

Y me propuse entonces no volver a pronunciar el "ahorita más tarde hago eso" o "lo pensaré mañana".

Hice un pacto conmigo misma en el que me prometí ser menos amiga del "algún día" y volverme aliada del "ya mismo".

Ese "algún día" tal vez no llegue nunca.

El "ya mismo" es lo único que tenemos seguro.

Me olvidé de aquello de encontrar el tiempo perfecto. Entendí que sólo hay tiempo y hay que usarlo.

La pandemia me enseñó a respetar más al tiempo porque de pronto tuvimos tanto que lo aprendí a conocer mejor.

Esas horas que antes parecían tan cortas empezaron a alcanzar para todo lo que antes no: me inscribí en cursos online, organicé los clósets, me divertí recorriendo álbumes viejos de fotografías. Boté frascos que llevaban años vacíos y frascos llenos de pastillas que ya estaban vencidas. Aprendí a hacer albóndigas.

Compré dos libros por mes y releí todos mis favoritos. Hasta me inventé una serie de entrevistas en vivo los lunes y martes por las noches en Instagram a la que bauticé #CharlasconLuz y abrí mi canal de YouTube con ellas porque también el tiempo me enseñó que había mucha más gente con ganas de inspirarse... Necesitaban más luz porque estaban viviendo la oscuridad de la pandemia y la incertidumbre de quedarse sin trabajo, de perder a un ser querido.

El maldito miedo que se cuela fácil vivió su carnaval. Y yo quise aguarle la fiesta creando estas charlas que sólo pretenden devolver la esperanza.

Decidí escoger semanalmente a alguien a quien yo admire y cuya vida me inspire y preguntarle de todo, desde qué tienen en cuenta a la hora de tomar una decisión, hasta cómo nutren su alma para vivir inspirados. En mi casa los lunes y martes se volvieron lo más parecido a un viernes.

Siempre me ha encantado hacer entrevistas, pero creo que si no hubiera sido por la pandemia quizá no me hubiera atrevido nunca. Esta vez el propósito era tan claro que no lo dudé ni un instante. Curiosamente los famosos se volvieron mucho más generosos y dispuestos a aceptar invitaciones. Seguramente ellos ahora también tenían más tiempo. Y lo que pensé que iba a durar cuatro semanas se fue alargando. Creamos una comunidad en Instagram que quiere llenarse de luz, de fuerza, de fe y de ganas.

Y yo ya puedo decir libremente que no me quedé con esas ganas.

Si alguien me hubiera dicho hace unos años que las entrevistas que más iba a disfrutar, de las que más iba a aprender y las que más titulares iban a ocupar las iba a hacer en vivo, descalza, en la sala de mi casa y desde mi teléfono, seguramente le hubiera dicho que estaba loc@.

Esta cuarentena me enseñó que el tiempo perfecto es ese tiempo en el que uno toma acción. Ese momento, por ejemplo, que decides que vas a escribir otro libro que no estaba en los planes, y entonces empiezas a dedicarle cinco horas diarias y no paras hasta que terminas, ni siquiera el fin de semana.

A mí ese tiempo que me regaló la crisis me permitió rescatar muchas cosas que había aprendido en la vida y que había dejado de poner en práctica. Cuando empecé a desocupar cajones, comparé el proceso con lo que le pasaba a mi memoria mientras repasaba las viejas fotos: las enseñanzas agolpadas en las gavetas de mi cerebro tampoco las había vuelto a usar. Las dejé guardadas y no volví a aplicarlas a mi vida.

Este libro lo escribo como una promesa pública de no repetir nunca más esa mentira que todos decimos con más orgullo que vergüenza:

"No puedo ahora. No tengo tiempo".

AQUELLA LLAMADA QUE CAMBIÓ LOS PLANES

El proceso empezó justo cuando la pandemia comenzaba a crecer en Estados Unidos y recibí una llamada en mi casa que me dejó petrificada del susto:

"Estuviste esta mañana muy cerca de alguien en la oficina que dio positivo al coronavirus y debes aislarte 14 días", me explicó muy amablemente la persona que llamaba desde la oficina de Recursos Humanos.

Lo primero que pensé fue en mi familia, en la posibilidad de haberlos contagiado. Mi mamá de 76 años y con presión alta pertenece el grupo de alto riesgo.

Confieso que, aunque a veces voy por la vida como si fuera invencible, me sentí muy culpable.

Desde mi cuarto, ya encerrada, llamé por teléfono a mi esposo, mi mamá y mi hija para explicarles que a partir de ese momento estaría aislada durante las próximas dos semanas.

El llanto de Dominique, mi hija de 24 años que es siempre muy valiente y nada llorona, me partió el alma.

"¿Qué va a pasar, Mami?', me preguntó entre sollozos.

Por primera vez no supe qué responderle y fui sincera:

"No sé mi vida, vamos a rezar para que no me haya contagiado".

Y acto seguido, me arrodillé en mi cuarto a rezar con fe.

En ese momento muy poco se sabía del virus. Ni siquiera usábamos máscaras ni sabíamos que alguna gente podía ser asintomática. Hacerse un examen era muy difícil entonces, pues tenían prioridad las personas con síntomas. Sólo había preguntas y miedo. Mucho miedo.

Ese primer día, un jueves para ser exactos, lloré pensando que 14 días sin salir de mi cuarto iban a ser lo más parecido a un siglo. María Antonieta Collins, mi gran amiga, se apareció ese mismo día en mi casa y ni siquiera entró. Pegó con trozo de cinta adhesiva mal cortada una estampita de Jesús en la puerta que sigue ahí mismo y que nunca voy a quitar, y oró delante de todas las puertas y ventanas.

Cuando me lo contó por teléfono me llené de una paz extraordinaria y en ese preciso momento comencé a planear lo que serían mis dos semanas aislada. Mi querido amigo Ronald Day me dijo que me fuera a pasar ese tiempo a su casa para evitar contagiar a mi mamá en caso de que yo fuera positiva. Se lo agradecí con el alma, pero entendí responsablemente que de mi cuarto no podía salir.

Lo primero que hice fue mantener mis horarios.

Otra vez la importancia del tiempo, el gran aliado que a veces se disfraza de enemigo y nos sorprende muy tarde en la noche para reclamar la falta de resultados del día.

Esta vez éramos él y yo, solos. No había de otra: el tiempo y yo teníamos que ser amigos.

La alarma del teléfono siguió despertándome a la misma hora porque seguí trabajando igual desde mi encierro. Yo pertenezco por obligación al *Club de las 5 de la mañana* del que habla Robin Sharma porque, como les dije antes, trabajo en un programa de televisión en vivo que comienza todos los días a las 7 am. Obviamente el confinamiento, al no tener que bañarme inmediatamente después de que sonara el despertador, vestirme y manejar hasta el estudio, me regaló una hora y media más para concentrarme en mi trabajo. Mantuve todos los *meetings* por teléfono y mi amigo el tiempo me empezó a alcanzar para leer más, planear más ideas, inscribirme en cursos online y hacer algo que disfruto mucho: repasar más videos de documentales y entrevistas. La comida me la dejaban en el piso al lado de la puerta de la habitación.

Una de las cosas que aprendí perteneciendo al Club de las 5 am de "Despierta América" es precisamente que, para que rinda el tiempo, hay que cumplir los compromisos que uno hace consigo mismo. Si tú empiezas a arrastrar el despertador media hora más, es tiempo que por dormir le robas a tus sueños. Y cuando no cumples los propósitos diarios que tú mismo te has planteado, empiezas a verte como un perdedor, te desmotivas y entonces es siempre más difícil que le ganes la batalla al tiempo.

Yo siempre escribo y agendo lo que debo hacer durante el día, pero a veces un email inesperado termina en una llamada que genera un *meeting* y cuando vienes a ver le quitaste 45 minutos a esa hora que tenías para revisar algo más. Por eso las madrugadas son tan importantes para finalizar lo que no puede interrumpirse.

Recuerdo que antes de la pandemia, y para empezar el día sin trabarme, dejaba lista desde la noche anterior la ropa que iba a ponerme. Así la búsqueda no me quitaba tiempo al despertarme. A mí me funciona mucho adelantar trabajo en cuanto despierto. Esas horas en las que nadie interrumpe son valiosas.

MUCHOS ABRAZOS... COMO PRESAGIANDO QUE SE ACABARÍAN

Antes de seguirles contando lo que hice en esos 14 días de soledad, quiero que sepan que yo estaba convencida de que el 2020 iba a ser un año de cambios importantes en mi vida. Había planeado ciertos movimientos profesionales que me ilusionaban. El 31 de diciembre lo pasé con mi familia en una hermosa casa frente al mar de Bimini, y recuerdo que ese día me prometí a mí misma creerme más para quererme más. Incluso recuerdo que ahí, en la playa vacía frente al mar azul de las Bahamas, le pedí a Dios que en el 2020 me diera la fuerza de ese mar para lograr la misma paz que proyectaba.

El 2019 fue un gran año porque todos en mi familia tuvimos buena salud, que siempre será para mí la mejor noticia, y estuvo repleto de buenos resultados. También estuvo repleto de viajes y conferencias que finalizaban con largas filas en las que firmaba ejemplares de mis libros, escuchaba historias de mis lectores y regalaba abrazos. México, Puerto Rico y Guatemala me recibieron con las puertas abiertas. En Estados Unidos, pude dictar por primera vez conferencias en importantes empresas como Century 21 y fui invitada al evento L'Attitude en San Diego. People en Español me incluyó por segunda vez, y justo 10 años después de la primera, en la lista de las "25 mujeres más poderosas", lo que agradecí muchísimo porque estar en esa lista me permitió ampliar la plataforma de "La mujer de mis sueños" y "Tu momento estelar" y transmitir a muchas más personas el mensaje de mis libros.

La gran motivadora y escritora Rachel Hollis me invitó a ser parte de la conferencia RISE en Minneapolis, y allí hablé en mi inglés machucado frente a 4.000 mujeres. Yo era la única hispana del panel y ahí arriba del escenario me sentí más orgullosa que nunca de ser latina, y sobre todo de no haberlo pensado mucho cuando la propia Rachel me envió un mensaje de texto por Instagram que decía:

"Hola amiga. Te quiero invitar a mi conferencia y que seas parte de un panel de mujeres increíbles".

Recuerdo que en ese momento pensé: "Si le digo que no, nadie se va a enterar y así no tengo que pasar el bochorno de hablar en inglés. Pero si le digo que sí, voy a prepararme muy bien, y allá montada en ese escenario frente a 4.000 mujeres viviré una gran experiencia de aprendizaje".

Dije que sí y, efectivamente, ese verano del 2019 en Minneapolis viví una de las mejores experiencias de mi vida de la que siempre estaré agradecida. Entre las panelistas estaban Mally Roncal, diseñadora y maquillista que hoy vende sus productos en QVC y cuyas clientas incluyen a Beyoncé y Jennifer Lopez, y Lisa Bilyeu, fundadora de Quest y de Impact Theory. Y recuerdo que una de las preguntas de Rachel que más me impactó fue por qué no deberíamos estar sentadas allí ese día. Me encantó esa pregunta porque, como dijo Rachel, la gente asume que las personas exitosas lo han tenido muy fácil en la vida.

En ese momento pasaron por mi cabeza todas las veces que pensé que el éxito era el privilegio de alguien más, y que yo nunca en mi vida iba a sobresalir en nada porque mi timidez no me lo permitiría.

El evento cerró con otra pregunta que me encanta:

¿Qué te dirías a ti misma jovencita?

Y en mi inglés asustado respondí:

"Le diría que no se preocupe tanto, que el 90% de las cosas por las que uno se preocupa no suceden. Le diría que no se convierta en una procrastinadora, que tome más agua, que no se achicharre al sol y que no se preocupe por esa cabellera indomable, que algún día van a inventar la queratina".

Las 4.000 mujeres se rieron conmigo y salí de allí convencida de que todas tenemos el mismo derecho a luchar por nuestros sueños, y que no importa ni el idioma ni la cultura, a todas nos da la misma emoción contar lo que estamos haciendo para lograrlos.

Siempre recordaré el 2019 como un gran año en el que agarré fuerza para tomar mucho impulso. ¿La cereza en el pastel del 2019? Nos ganamos otro Emmy para "Despierta América".

Tal vez el destino me estaba llenando de abrazos porque sabía que muy pronto no los podría dar ni recibir.

PON TU MENTE A VOLAR SIN PERMISO

Después de que regresamos de vacaciones de las Bahamas, el primer fin de semana del 2020 no pudo ser más productivo. Me invitaron a presenciar en Fort Lauderdale la gira *Oprah's 2020 Vision*" y escuchar a Oprah Winfrey durante todo un sábado me recargó las pilas de buena vibra.

"Esto es un buen indicio", pensé. "En este 2020 voy a aplicar todo lo aprendido aquí".

Sus últimas palabras las grabé con mi teléfono:

"Espero que salgas de aquí con claridad, visión y propósito porque el Universo, ese que te creó, te está esperando".

El fin de semana siguiente iba a viajar a Fort Myers a acompañar a mi querida amiga Alina Villasante, creadora de la marca *Peace Love World* y la latina que más vende en QVC, que había sido invitada esta vez por Rachel Hollis a su gran conferencia RISE.

Tres días antes del evento recibí un texto de Rachel que otra vez volvía a sorprenderme:

"Luzma, sé que vienes con Alina. Una de mis invitadas se enfermó y no llega. ¿Crees que puedas reemplazarla?"

Inmediatamente le respondí que sí. Repetir la experiencia de Minneapolis seis meses después, y ya con la cancha que me había dado la primera vez, me parecía fascinante. Y era parte de la claridad, la visión y el propósito del 2020 que Oprah me había recordado el fin de semana anterior. Me tomé muy en serio aquello de que el Universo me estaba esperando. Tal vez si eso me hubiera pasado tres años antes lo hubiera pensado y me hubiera puesto todas las excusas posibles. *No tengo tiempo para prepararme... No tengo tiempo para salir a comprar una ropa para la talla que me dejaron las comilonas de diciembre...*

Nada de eso me importó y ese sábado en Fort Myers, ante 2.000 mujeres, volví a cumplir mi misión. Cuando me acosté esa noche le di gracias a Dios por sus sorpresas y por permitirme tener el poder de disfrutarlas y no perdérmelas. Hay tantas cosas que nos perdemos porque se salen de los planes o no están en la agenda. Y esas cosas, si no son pura distracción, se pueden convertir en peldaños que el Universo nos pone para que sigamos subiendo. Por eso hay que perder el miedo a decir que sí.

Esas bendiciones explosivas, como yo las llamo, no están agendadas aquí en la tierra.

Esas las maneja Dios.

Todo eso que les he contado pasó por mi mente mientras estaba allí encerrada por culpa de un virus invisible. Era como si, estando confinada en mi cuarto, mi mente salía a volar sin permiso. Y qué gran ejercicio es y qué poco lo hacemos. Si de algo estoy segura es que nuestras vidas se parecen a eso que le dedicamos tiempo, y la mía lo cumple al pie de la letra. Allí encerrada en mi cuarto también recordé las largas conversaciones que tenía conmigo misma en mi adolescencia de hija única en Cartagena. Conversaciones que, por cierto, fueron cada vez menores a medida que fui adquiriendo más responsabilidades... Seguramente porque no había tiempo. Y reconfirmé que, si uno no es feliz con uno mismo, no puede hacer feliz a nadie más. Hay quienes viven en soledad aunque los rodeen multitudes. Y esa quizás es la soledad más triste. Durante esos 14 días en que me dejaban la comida junto a la puerta, sentí por primera vez un gran desapego por las cosas materiales. Sentí que la vida me estaba regalando esa pausa obligatoria para pensar. Yo, que soy adicta a las carteras, me prometí en marzo no comprar ni una más durante el resto del año. Cada vez que entraba al clóset me sorprendía mi obsesión por querer tener tantas. Por eso decidí no acumularlas. Y lo he cumplido.

Los 14 días pasaron rapidísimo y lo mejor de todo, sin ningún síntoma. La computadora, el teléfono y el control remoto se volvieron mis compañeros inseparables. Me unté todas las cremas antiarrugas que encontré en el baño. El día que salí de mi cuarto, se los juro, me dio felicidad hasta lavar los platos y me sentí más joven, y no precisamente por las cremas. Era como si en vez de haberme encerrado 14 días, la vida me hubiera regalado tiempo extra.

Me gustó estar conmigo. Entenderme. Disfrutarme. Agradecí tanto besar y abrazar sin miedo otra vez a mi familia, abrir la nevera, mirar al cielo.

Regresé a trabajar en la oficina con las pilas cargadas de energía hasta que pocos meses después otra vez el COVID-19 nos cambió abruptamente la rutina. Y esta vez nos creó una gran crisis que supimos atacar rápidamente.

La sospecha de un caso positivo dentro del equipo que lidero en Univision, que desembocó en otros nueve compañeros contagiados, nos hizo salir de un día para el otro de la oficina y trabajar desde la casa. Hacer un programa de televisión en vivo como "Despierta América" durante cuatro horas diarias, cinco días a la semana, es algo que yo nunca hubiera pensado que podría hacerse de forma remota. Todos los talentos del programa salieron al día siguiente en vivo desde sus casas.

Lo logramos gracias a un equipo comprometido que tomó acción inmediatamente a pesar del miedo al contagio y la incertidumbre, y el gran apoyo de nuestros jefes. Hubo más llamadas, hicimos más preguntas, creamos más chats, nos mandamos más emails, pero lo logramos. Los nueve compañeros se recuperaron en un periodo de 45 días.

Trabajar desde casa, el sueño de muchos durante toda la vida, se convirtió de pronto en una imposición para el mundo. Y eso no vino solo. También nuestros hijos tuvieron que estudiar desde casa. Entonces de la noche a la mañana cambiaron los hábitos y subieron los niveles de estrés. Vi a las madres más entregadas y amorosas volverse locas con sus hijos estudiando en casa. Google anunció un día que los términos más buscados eran "Ataque de pánico" y "Depresión". Subió la curva de contagio, el confinamiento aumentó el insomnio, cambió los patrones de alimentación, multiplicó las estadísticas de depresión y la crisis financiera producida por los despidos sumó más inestabilidad a nuestras vidas.

El tiempo juntos desunió a muchas parejas. Crecieron las peleas. Y hubo más tiempo para consumir más licor. Se multiplicaron los casos de abuso.

Todo por culpa de un tiempo que antes no rendía tanto...

¿Y SI TODO SE ACABARA HOY...?

¿Qué pasaría si dentro de siete horas tu corazón dejara de latir? ¿De qué te quedarías con ganas?

Durante las conferencias que di en el 2019 me atreví a empezar con esas preguntas porque estoy convencida de que muchos de nosotros vivimos posponiendo la felicidad.

Curiosamente, ahora que lo pienso nunca se me hubiera ocurrido preguntar: ¿Qué pasaría si de pronto llega un virus al mundo, del que se sabe muy poco, y te mandan a encerrarte en casa?

(Y justo cuatro meses después estábamos viviendo eso mismo)

Lo cierto es que, cuando compruebas que en siete horas no hay mucho tiempo para independizarte, bajar 30 libras, montar ese negocio de venta por internet que te ha desvelado muchas noches, tener un hijo, comprar el apartamento en la playa, subir al Everest, correr una maratón, estudiar francés, ir a Hawái de vacaciones o solicitar trabajo en esa gran compañía que siempre admiraste, entonces te das cuenta de que debes dejar de echarle la culpa al tiempo.

Bronnie Ware, una enfermera australiana que se dedicó a recopilar los arrepentimientos más grandes de los moribundos en su libro *"The Top Regrets of the Dying"*, o "De qué te arrepentirás ante de morir", concluyó que el principal era:

"Ojalá hubiese tenido el coraje para vivir una vida auténtica por mí mismo, no la vida que otros esperaban de mí".

Le siguieron otros como no haber tenido "*el coraje para expresar mis sentimientos*" ni "*haberme permitido ser más feliz*".

¿De qué te arrepientes tú en este momento de tu vida?

Sí, quiero que estas preguntas te sacudan. Que te las hagas y apuntes las respuestas. Y las releas. Y pienses por qué te has quedado con las ganas.

¿Por qué haces más fácilmente lo que los otros quieren que hagas que lo que realmente deseas hacer?

En estos tiempos de encierro me he dedicado a estudiarlo.

El cineasta Woody Allen lo tenía muy claro cuando expresó: "No conozco la clave del éxito, pero la del fracaso es tratar de complacer a todo el mundo".

Una de las razones por las que nos es más fácil hacer lo que otros dicen que lo que realmente tenemos ganas de hacer es que nos cuesta mucho soportar el qué dirán. Vivimos con un miedo constante a aceptar la manera en que la gente nos percibe. Haciendo lo que otros dicen que debemos hacer tenemos siempre a quién echarle la culpa en caso de que no funcione.

Confieso que en mis conferencias, al preguntar así a quemarropa qué pasaría si todos murieran en siete horas, pensaba que los asistentes iban a salir corriendo asustados.

Nada de eso pasó. Al contrario. Al final se me acercaron varias personas a decirme que esas preguntas, crudas pero posibles y muy reales, los habían empujado a atreverse. Nunca olvidaré a un abogado retirado en Orlando, Florida, que se me acercó y después de darme un abrazo me dijo mirándome a los ojos:

"Gracias a sus palabras hoy me voy a atrever a presentar un

guion que tengo escrito hace muchos años y no me había atrevido a enviar".

Esa noche regresé a casa con mi misión cumplida.

LAS PREGUNTAS QUE HACEN FALTA

Seguramente desde que leíste el título de este libro ya has pensado varias veces en todas esas ganas con las que te has quedado en la vida. Y también sabes que es precisamente eso que no has hecho lo que no ha permitido que esas ganas se vuelvan deseos cumplidos. Tú sabes muy bien que, para no quedarte con ganas de nada en esta vida, tienes que cambiar hoy mismo tus rutinas, crear nuevos hábitos, modificar los pensamientos, crear caminos en vez de cerrar puertas y, sobre todo, tomar acción. Sí, ya sé que esto no es nada nuevo. Que yo misma te lo dije en mis libros anteriores. Que lo repiten todos los exitosos cuando les preguntamos cómo lograron llegar a la cima... Pensando en eso que "nos sabemos de memoria" decidí seguir profundizando, buscando respuesta a las preguntas que hacían falta.

¿Es que acaso la pandemia no nos obligó a todos a cambiar nuestros hábitos de un día para el otro?

¿Por qué entonces no podemos hacerlo sin que nos obliguen y para tener un resultado que nos beneficie?

¿Cómo se toma acción cuando tienes la cabeza llena de pensamientos negativos y no crees que serás capaz?

¿Cómo se toma acción si estás lleno de dudas y el maldito miedo te dicta órdenes que tú cumples al pie de la letra?

APRENDIENDO DEL QUE APRENDE DE LOS MEJORES

El escritor español Francisco Alcaide Hernández, quien es licenciado en Administración de Empresas, Derecho, máster en Banca y Finanzas y doctor magna cum laude en Organización de Empresas, es uno de los autores que más ha impactado mi vida y me ha inspirado a seguir estudiando los procesos del éxito. Recuerdo que sus libros "Aprendiendo de los mejores 1 y 2" los leí sin parar y los tengo en mi Kindle como una especie de vitamina doble que siempre me recuerda lo que hay que hacer y cómo hay que hacerlo. Francisco siempre da en el clavo. Lleva más de 20 años investigando por qué hay empresas que se consagran como exitosas y otras que no pasan de la mitad del proceso. "Aprendiendo de los mejores" ha sido traducido hasta en chino, lleva 20 ediciones y está ubicado entre los 25 mejores libros de negocios. A Francisco lo sigo por Instagram, que es una de las grandes maravillas que nos regala la tecnología para acercarnos a quienes admiramos. Nos mandamos mensajes y hasta me ha recomendado libros que no son suyos. Un día le pedí que su sabiduría fuera parte de este libro.

Como en todos los grandes, su generosidad es inmensa y me dijo inmediatamente que sí a pesar de estar en medio del lanzamiento de su tercer libro.

Francisco, ¿cómo se logra no romper el compromiso con uno mismo a la hora de tomar acción para cumplir las metas?
"Teniendo muy claro cuál es tu propósito en la vida. El ser humano es siempre una continua lucha entre el deseo de 'reto' y el deseo de 'comodidad'. Muchas veces no apetece hacer lo que tiene que hacerse o es incómodo hacerlo. Ahí es

donde entra en juego la voluntad, que será tanto mayor cuanto más claro sea nuestro propósito (motivo) de lo que queremos. Motivación no es tener ánimo, motivación es tener motivos. Cuando sabes lo que quieres y por qué lo que quieres, no sólo ningún sacrificio es demasiado grande, sino que se convierte en un reto estimulante. El pegamento emocional de cualquier comportamiento es un sentido de identidad y de propósito. Aquello con lo que nos identificamos y comprometemos son las cosas que reconocemos como importantes para nosotros. Para que haya compromiso tiene que existir una conexión entre tarea/responsabilidad y propósito. Cuando eso no sucede el compromiso se resiente. La capacidad de mantenerse fiel a un objetivo a largo plazo sin desistir sólo es posible cuando te identificas con un propósito que te atrapa, que deriva en un compromiso incondicional y que se traduce en *hacer lo que haga falta, el tiempo que haga falta*".

¿Cuál de todos los exitosos que has estudiado te ha dejado la mejor lección sobre el manejo del tiempo?
"David Allen, autor de 'Getting Things Done' (en español, 'Organízate con eficacia') es la referencia a nivel mundial en temas de productividad y efectividad. Lo primero que hay que decir es que el tiempo no se puede gestionar, el tiempo simplemente transcurre. Lo único que podemos gestionar es nuestra atención (foco). Productividad no es hacer muchas cosas sino dejar de hacer todo lo que no debería hacerse. Siempre hay más cosas por hacer que tiempo disponible, por eso el éxito está en qué *no hacer*. La clave está en tener claras las prioridades, para centrarse en lo importante (lo que genera valor) y descartar todo lo demás. El éxito es una cuestión de concentración (foco) y de ser capaz de mantener esa atención en el tiempo. Nunca ha sido tan fácil perder el tiempo con distracciones, y las distracciones son el gran enemigo de la productividad. El bombardeo de información y la fácil accesibilidad a las personas degeneran en una pobreza de atención. Como dice Daniel Goleman en su libro 'Focus': «En un océano de distracciones, quien sabe estar atento triunfa». Estar accesible no significa estar disponible".

41

¿Cómo crees que será el Francisco Alcaide pospandemia?

"No muy diferente al de ahora. Las crisis forman parte de la vida, aunque preferimos no ser conscientes de ello. Vemos la situación actual como si fuese nueva, pero la historia de la humanidad está repleta de crisis que nos han sacudido, ya sean financieras (Lehman Brothers, 2008), nucleares (Chernobyl, 1986), militares (Ruanda, 1994), desastres naturales como terremotos (Haití, 2010) o tsunamis (Sudeste asiático, 2004), atentados (World Trade Center, 2001), epidemias (Ébola, 2014) o guerras mundiales (I y II en la primera mitad del siglo pasado), y así podríamos continuar por las diferentes épocas del pasado. Cada cierto tiempo se producen acontecimientos que nos trastocan. El problema no es esta crisis –que, como todas, acabará pasando–, sino ser conscientes de que van a venir otras nuevas. No sabemos qué crisis ni cuándo, pero sí que nos sorprenderán. Es la historia de la humanidad. Estudiar la Historia es una buena herramienta para hacer frente a los desafíos con mejores garantías. Da igual que se solucione el problema del coronavirus y todo lo que ello conlleva a nivel social, económico y empresarial, porque aparecerán otros retos (problemas) más adelante. Lo relevante es la capacidad de anticipación, reacción y adaptación. No es lo que sucede sino cómo respondemos a lo que sucede. Siempre que hay una crisis, hay cambios y reajustes para responder a situaciones similares, y eso es bueno porque nos hace evolucionar y mejorar como especie, pero no podemos ser ingenuos, surgirán otras crisis que a fecha de hoy no somos capaces de prever. Y el proceso se repite".

Para Francisco, todo comienza con el compromiso que debemos hacer con nosotros mismos. Y ese compromiso no admite excusas, sólo resultados. Hay que hacer lo que haga falta en el tiempo que haga falta. Una de las cosas que más nos desmotivan cuando nos hacemos el compromiso es precisamente no ver resultados inmediatos.

"En esta vida nadie fracasa", dice Francisco. "Lo que pasa es que hay gente que abandona el proceso a mitad del camino.

Woody Allen lo dejó muy claro cuando dijo que el 90% del éxito era insistir. La energía va donde tú pones tu atención".

En estos tiempos en los que hay más presión que nunca para alcanzar las metas, existe también un exceso de motivación por todas partes y las redes sociales llevan la delantera sugiriendo, y a veces dictando, qué hay que hacer para conseguir el éxito.

Todos parecemos tener la fórmula perfecta.

Hoy es casi una obligación poner en Instagram esos corazoncitos que te comprometen a cumplir las predicciones y los planes de superación que todos, (y me incluyo), prometemos:

"La próxima semana todos tus planes tomarán un rumbo positivo. Comenta con un corazón si estás de acuerdo".

"Se acabaron las noches sin esperanza. Desde hoy tu vida tomará otra dirección, serás millonario y todos aplaudirán tu éxito".

"Una gran bendición llegará a tu vida. Ten paciencia".

No lo niego, en medio del caos en que vivimos se siente muy bien eso de convencernos de que todo lo que leemos en redes será verdad. Lo que sigue después, cuando no sucede nada de eso porque nada pasa si uno no toma acción, es el problema.

Yo, que soy una observadora del comportamiento humano y que me encanta saborear los ingredientes de ese platillo llamado éxito, he notado que el exceso de motivación lo que a veces le crea a cierto grupo de personas es una sensación de *¿Y por qué a todos les alcanza el tiempo para conseguir lo que quieren menos a mí?* A muchos les intoxica el positivismo en todas esas cuentas de personas en las redes sociales que aseguran ser expertas en lograr el éxito.

Y es precisamente a ti, que sé que se te ha cruzado esa idea por la cabeza de que eres el último en la fila, a quien quiero que este libro ayude a pensar diferente.

Estoy segura de que has tenido toda una vida para lograr muchas cosas, pero no te has decidido a hacerlo porque crees que no has tenido el tiempo, o lo que es más profundo aún, que no te ha llegado *tu* tiempo.

Tal vez vivas con miles de sueños guardados bajo llave en el cofre de tu alma y no sepas cómo sacarlos para hacerlos realidad.

Quizás el hecho de que en este preciso instante estés leyendo esto te dé el último empujón que necesitas para agarrarte de esos sueños y saltar al vacío. Un vacío en el que yo voy a acompañarte mientras vueles agarrad@ a cada página de este libro por el que yo volví a sacar tiempo y me atreví a escribir para los que no lo tienen.

Lo único que te pido es que no te sueltes... Para que nunca más te quedes con las ganas.

#NOTEQUEDESCONLASGANAS

1. *"Y cuando uno tiene la muerte tan cerquita, uno comienza a pensar más en la vida".*

2. *"Si de algo estoy segura es que nuestras vidas se parecen a eso que le dedicamos tiempo".*

3. *"Ojalá hubiese tenido el coraje para vivir una vida auténtica por mí mismo, no la vida que otros esperaban de mí".*

4. *"Productividad no es hacer muchas cosas sino dejar de hacer todo lo que no debería hacerse. Siempre hay más cosas por hacer que tiempo disponible, por eso el éxito está en qué no hacer".*

5. *"Una de las razones por las que nos es más fácil hacer lo que otros dicen que lo que realmente tenemos ganas de hacer es que nos cuesta mucho soportar el qué dirán".*

El ARTE no quedarte con ganas

2

ENTRE EL YOLO (YOU ONLY LIVE ONCE) Y ESE LUNES QUE NUNCA LLEGA

"40 es la vejez de la juventud. 50, la juventud de la vejez"

– Víctor Hugo

Cuando me pongo a pensar por qué hay personas que salen triunfantes en medio de las mayores crisis y otras que inevitablemente lo dejan todo en el camino y simplemente se quedan con las ganas, me viene a la cabeza lo que dice el gran autor Robin Sharma.

Él asegura que sólo el 5% de la población se convierte en verdaderos titanes y que para lograr esos resultados hay que hacer precisamente lo que hace el 5% de la población:

1. Levantarte temprano, alejarte de la tecnología y trabajar en ti mismo.
2. Invertir una hora diaria en volverte experto en algo.
3. Conseguir un lugar donde nada ni nadie te distraiga.
4. Hacer ejercicio.
5. Optimizar tus rutinas antes de acostarte.

Robin dice algo que a mí me encanta repetir:

No reserves tu genialidad y tu grandeza para ese momento perfecto que llegará en el futuro. Ese momento perfecto quizás no llegue nunca. Empieza ahora mismo. En esta misma hora.

También es importante contarles qué es lo que no hace el 95% de la población y por qué no se convierte en leyenda. Tony Robbins, otro de los grandes líderes de la motivación en el mundo, dice que el problema que tenemos los seres humanos es que no sabemos lo que queremos.

El pecado más grande que cometemos el 95% de los seres humanos es distraernos en el camino.

La palabra "distracción" encierra la culpa del atraso por llegar a nuestras metas. Ese subir y bajar por Instagram, Facebook o TikTok durante horas.

Te pregunto en este momento: ¿qué tanto de lo que has

hecho hoy te ha acercado a eso que tienes ganas de cumplir?

Si viste en Netflix el documental *"The Social Dilemma"*, o "El dilema de las redes sociales", seguramente te sorprendiste al entender cómo grupos de ingenieros analizan la psicología de los usuarios y crean técnicas para que caigamos en la trampa de las redes sociales. Nos programan para ir subiendo y bajando el dedo en la pantalla de nuestros celulares y así pasamos horas y horas.

Las redes sociales fueron creadas para envolvernos. Cuando nos dan un *like* nos sentimos aceptados y la dopamina, esa hormona del placer, comienza a recorrer todo nuestro cuerpo. Cuando se acaba la dosis, salimos en busca de más. Y así jugamos con nuestra propia mente al punto de crear el escenario perfecto para la frustración o la depresión. Esa pandemia, la tecnológica, creó sin duda una generación más deprimida, más ansiosa y más traumatizada... Y el teléfono, que también nos ayudó a calmarnos, nos robó el tiempo valioso que debimos haber empleado para luchar por nuestros sueños y no tener que quedarnos con las ganas de cumplirlos.

Distracción es esa película que elegimos acostarnos a ver en vez de usar ese tiempo para ir creando el plan que nos acerque a nuestros sueños cumplidos. Ya te conté antes que el ser humano pasa un tercio de su vida durmiendo. Imagínate que a los 60 has dormido 20 años. Y así se nos va pasando el tiempo. Tú tienes 168 horas a la semana. Si pasas 40 trabajando, siete haciendo ejercicio y 56 durmiendo, te sobran 65 horas.

¿Qué estás haciendo con ellas?

La vida para muchos se va volviendo una rutina aburrida y así llegan esos lunes en que nos prometimos comenzar la dieta y los pasamos de largo incumpliendo la promesa... y cada vez con más kilos encima. Y llegan esos 30 años sin volver a la universidad a hacer ese máster que tanto querías, o los 40 sin comprar esa propiedad a la que le has dado vueltas y vueltas. O cumples los 50 sin escribir ese libro al que llevas cambiándole el título desde los 30... (Y aún no vamos a hablar de esos 35 años que quizás llevas de casad@ con alguien con quien no quieres estar; eso lo abordaremos más adelante).

Es en ese preciso momento en el que tomas la decisión de no usar el tiempo en pro de lo que quieres conseguir sino a favor de tu distracción sale a relucir el tan usado "YOLO" (*You Only Live Once*, sólo se vive una vez) con el que muchos justifican su necesidad de pasarla bien.

Sí, reconozco que ese *no dejes para mañana lo que puedas hacer hoy* es muy difícil de cumplir al pie de la letra. Me puse a investigar los motivos y encontré que, contrario a lo que podría pensarse, las personas que viven posponiendo sus actividades no son ni perezosas ni flojas. Según los psicólogos, la costumbre de retrasar una tarea se debe al miedo de enfrentarla.

En mi niñez, hace 50 y tantos años allá en Cartagena, los que no hacíamos las cosas a tiempo éramos flojos, punto. Hoy son procrastinadores y les tengo noticias: muchas de las mentes más brillantes de la historia lo han sido.

Según un estudio realizado por el *New York Times*, la procrastinación, o el acto de aplazarlo todo, es más un producto de las emociones que de la holgazanería.

Sí, mis amigos que se creían flojos pueden respirar aliviados.

La procrastinación no es una mala costumbre de las nuevas generaciones; existe desde hace cientos de años. Tanto así que filósofos como Aristóteles y Sócrates la describían con el término *akrasia*. Y la definición de akrasia es muy simple: la falta de autocontrol, la falta de mando sobre uno mismo. *Akrasia* es actuar en contra de nuestro mejor juicio.

Los procrastinadores le deben ese nombre a un Dios poco conocido de la mitología griega: Dilbertus Procrastinus, el más flojo del Olimpo. No hacía absolutamente nada. ¿Por qué?

James Clear, autor del *best seller* del *New York Times "Atomic Habits"* ("Hábitos atómicos"), no lo puede describir mejor. Según él, los seres humanos vivimos una lucha constante entre las metas a largo plazo que le imponemos a nuestro futuro y la necesidad de tomar acción en el presente.

Para simplificarlo: el futuro es un cuerpo saludable y de medidas perfectas, mientras que el presente es un donut esponjoso relleno de Nutella. Clear, quien le hace honor a su apellido (Claro, en español), a la hora de aconsejar cómo acabar con la procrastinación dice que hay que tomar acciones concretas. Si eres comelón y todos los lunes te prometes a ti mismo empezar la dieta, entonces no compres comida en grandes cantidades.

Mi hija Dominique, por ejemplo, sabe que las redes sociales la distraen constantemente. Para evitar esto, ella misma se bloqueó la entrada utilizando una función de su teléfono que le permite predeterminar el tiempo que navegará en las redes. Cuando el tiempo se le acaba, se acaba la distracción. Sí, curiosamente la tecnología, que hasta ahora te ha jugado una mala pasada distrayéndote de tus obligaciones, puede también convertirse en tu gran aliada para devolverte tiempo valioso.

Me sorprendió saber que las personas que aplazan sus responsabilidades se sienten peor mientras postergan que cuando comienzan a tomar acción. ¿Te ha pasado esto a ti? Entonces hacer una lista diaria de las actividades que necesitas completar también te va a servir mucho. De esa manera, al revisarla al final del día, vas a sentir que fuiste productiv@. Esa lista debe ser específica y debes apartar el tiempo necesario para realizar lo que incluyas en ella. Por ejemplo, hoy sábado yo me comprometí conmigo misma a escribir 2.500 palabras de este libro entre las 5 de la tarde y las 9 de la noche. También es importante que bloquees tiempo para ti. Los viernes por la tarde, desde hace cinco años, trato de dejarlos vacíos en mi agenda. Duermo siesta, leo, lo dedico a lo que más me gusta.

Otro consejo que funciona es compartir tu nuevo plan con alguien que te regañe cuando no lo cumplas. Y hay quien me ha dicho incluso que, si la procrastinación es severa, puedes decirle a esa persona que le pagas si no cumples lo que tienes que hacer. De esa manera te obligas a ti mismo a completar cualquier tarea con tal de no perder dinero.

Una vez que estés organizado, tu vida será más fácil y eliminarás la ansiedad constante de no estar nunca a tiempo.

UN GRUPO SELECTO DE FLOJOS FAMOSOS

Si perteneces al grupo de los que deja todo siempre para después, no estás sol@. Muy a mi pesar tengo la obligación de contarte que otras mentes brillantes como la tuya forman parte de un selecto grupo. Te apuesto a que no se te hubiera ocurrido que Víctor Hugo, ese gran novelista francés autor de "Los Miserables", sufría de tu mismo mal, pero tenía un truco que lo obligaba a cumplir con los plazos que se ponía. Dicen que Víctor Hugo le entregaba su ropa a un sirviente y que éste no se la devolvía hasta que no hubiera completado su tarea. La imposibilidad de salir desnudo lo obligaba a terminar su obra.

El expresidente Bill Clinton también tiene fama de ser impuntual y demorarse en sus entregas. En 1994, la revista *Time* lo describió como un "procrastinador crónico". Dicen que Clinton deja todo para último minuto. Lo mismo le ocurría a Leonardo da Vinci, quien nunca entregaba un proyecto a tiempo. Y estamos hablando de un genio del Renacimiento que desarrolló sus talentos tanto para la ciencia como para el arte. Su obra maestra, la Mona Lisa, tardó 16 años en realizarla. Cuenta la historia que cuando estaba pintando "La última cena" recibió quejas por no entregarla a tiempo, a lo que él respondió diciendo que no había podido crear la cara de malvado que necesitaba para Judas. Y si Judas no encontraba su cara de malo en el pincel de Leonardo, pues no podía haber "Última cena".

Leer todas estas anécdotas quizás tenga un efecto contrario en ti que quieres hacerte amig@ del tiempo y que éste te rinda. Te las cuento porque, como dice otro exprocrastinador famoso, el Dalai Lama, "siempre debes tener todo listo. Aunque te mueras esta noche, no te deben quedar arrepentimientos".

Creo que ya tienes muy claro que mi intención con este libro es que no te quedes con las ganas de nada. Y nadie tiene la vida comprada. Si Leonardo da Vinci se hubiera muerto antes de esos 16 años en que terminó la Mona Lisa, hoy el *Louvre* no tendría una de sus mayores atracciones.

A un personaje de la historia también le debemos una solución al problema de los que aún muchos llaman perezosos. Dwight D. Eisenhower, quien fuera presidente de los Estados Unidos de 1953 a 1961 y quien antes fue general del ejército y comandante durante la Segunda Guerra Mundial, se inventó un método conocido hoy como "La matriz de Eisenhower" para poder cumplir sus tareas diarias en medio de tantos compromisos.

ESE MÉTODO CONSTA DE CUATRO PASOS:

1. Enfócate en lo más importante que tienes que hacer hoy.
2. Las cosas que son importantes, pero no son urgentes, deben ser agendadas.
3. Delega lo que no sea importante.

4. Lo que no sea importante o urgente, NO LO HAGAS.

Una vez leí algo que dijo la pastora Rosie O'Neal y que hoy quiero dejar aquí escrito: la procrastinación es asumir con arrogancia que Dios te debe la oportunidad de hacer mañana lo que tú tenías tiempo para hacer hoy.

PERO... ¿EXISTE REALMENTE EL TIEMPO PERFECTO?

Hace tan sólo unas líneas te contaba que el 2020 me enseñó que los tiempos perfectos no existen y que lo único perfecto es tomar acción. Sin embargo, reconozco que durante toda mi vida creí en lo que los americanos llaman el *perfect timing*. Ese momento perfecto en que sale una canción al mercado y se vuelve número uno. O se publica un libro justo cuando la gente lo necesita y se convierte en un *best seller*. Y uno de esos que sí saben de *best sellers* es Daniel H. Pink, el escritor de "Cuándo. La ciencia de encontrar el momento preciso". Pink asegura en su libro que los seres humanos nos pasamos la vida pensando cómo hacer las cosas, pero no definimos concretamente cuándo hacerlas.

Tiene razón, porque díganme si esto no les suena muy familiar: ¿cuántas veces no repetimos durante el día *"tengo que arreglar mi closet..."* en vez de decir *"hoy a las 10 voy a arreglar mi closet"*? Y así, el día se nos va llenando de *"tengo que"* y al final terminamos sin hacer nada.

Pink investigó, por ejemplo, que por la mañana y por la noche somos más positivos. Así que cualquier cosa que hagamos a esas horas será mucho más fácil que a las 2:55 pm, según dicen la peor hora del día para tomar una decisión.

Conocer las horas en que nuestro cuerpo y mente pueden ser más productivos es clave. Desde que nací he sido dormilona. Amo acostarme tarde y levantarme tarde. Creo que el único problema que le di a mi mamá de niña siempre fue a la misma hora, y era justo a la hora de despertarme. Ella, con santa paciencia, comenzaba a llamarme con una vocecita muy dulce y maternal que media hora después iba adquiriendo las características de la voz de un monstruo. Pero ni eso surtía efecto; yo nunca lograba saltar de la cama a tiempo y lo que seguía después del baño era una correndilla que nos dejaba a todos sin aliento. Mi papá me ponía las medias (que siempre se trababan en el talón y esto ocasionaba siempre un rosario de malas palabras), mi mamá como una loca me tiraba los zapatos... Y así salía yo corriendo todas las mañanas de mi casa. Creo que nunca llegué temprano al colegio.

Ahora que investigo mientras escribo este libro, entiendo oficialmente que soy una persona diseñada para la noche y no para la mañana. Se podría decir científicamente que mi cronotipo es nocturno.

Por eso me preocupé tanto cuando, hace nueve años, mis jefes decidieron que yo fuera la productora ejecutiva de un programa de televisión que comenzaba a las 7 de la mañana. Me parecía imposible cambiar mis hábitos, pero logré hacerlo poniendo toda la voluntad del mundo, forzándome a acostarme más temprano aunque me costara.

Hoy me levanto de una vez cuando suena la alarma del teléfono, que a propósito no pongo en la mesita de noche sino al frente de mi cama para obligarme a levantarme a apagarla. Hoy puedo decir que mi trabajo, a pesar del horario, es el que más feliz me ha hecho y que, aunque madrugar es algo que aún no me gusta, esas horas en las que no ha salido el sol son las más productivas para mí. De hecho, cada vez que tengo la opción de tomar un vuelo lo hago lo más temprano posible porque dicen que hay menos turbulencias. Además, me gusta llegar temprano a mi destino para que el día me rinda más.

De acuerdo con los expertos, las personas nocturnas son más creativas, desorganizadas y barrigonas. Sí, porque tienden a almacenar más grasa en el abdomen. Por el contrario, las personas que tienen un cronotipo matutino son más lógicas, organizadas y delgadas.

Ahora todo tiene más sentido.

Esto es importante saberlo porque, conociéndonos mejor, podemos sacarle más partido al tiempo. Y en base al tiempo creas tus hábitos hasta para alimentarte. Ya yo sé que por las noches no puedo comer carbohidratos porque mi barriga se infla inmediatamente. A esa hora el metabolismo es más lento y los hidratos de carbono se convierten en grasa... y esa es grasa que va a parar a la barriga.

Siempre se piensa que las personas que madrugan son más responsables y que el tiempo les rinde más, pero eso no siempre es cierto. Hay madrugadores que viven quejándose de que el tiempo no les alcanza y eso les genera mucho estrés en sus vidas.

Le pregunté al respecto al siquiatra y conferencista colombiano Danilo Barco, conocido en Instagram como @drsinstress y uno de los grandes descubrimientos del 2020 gracias a la productora Alejandra Vásquez, que lo invitó a uno de sus segmentos en "Despierta América".

"Todos hemos dicho en algún momento, *no tengo tiempo, el día se me fue muy rápido, ya estoy muy viejo, estoy muy joven.* Estamos tratando el tiempo como si fuera un enemigo por vencer, un obstáculo que tenemos que saltar o simplemente algo que se nos presenta como un problema", dice el Dr. Barco. "Hay gente que no saca tiempo para su familia, para sus hobbies, para ellos mismos. Para estirar más el tiempo, hay que disfrutar lo que se hace. Como cuando te encuentras con un amigo de la escuela y empiezan a hablar y hablan horas y luego dicen *se nos fue el tiempo en un momentico, tan rico que la pasamos*'. Uno de los agentes estresores del mundo es el tiempo, porque nos olvidamos de disfrutarlo y nos hemos vuelto sus esclavos".

Para el médico antiestrés, hay que aprender a hacerse amigo del tiempo. Él también es de los que recomiendan crear listas de cosas por hacer, priorizadas y realistas, que nos sirvan como mapa: "Mi consejo es aprender a organizarse y no ponerse más cargas de las que puedes llevar".

¿POR QUÉ NOS INVENTAMOS EL "NO TENGO TIEMPO"?

El Dr. Barco explica que el cerebro tiene muchos núcleos y que desde uno de ellos, el *accumbens*, expresamos y liberamos neurotransmisores para el placer.

"Cuando el cerebro experimenta una amenaza por un sueño no cumplido, por una meta a la que no se llega, el cerebro empieza a buscar la respuesta que lo haga a uno sentir bien y no liberar neurotransmisores que me agredan como el cortisol. Esa es la misma razón por la que una persona miente, para sentirse bien. El problema es cuando eso genera dependencia. En el caso de postergar las cosas, las personas corren el grave riesgo de volverse adictas a estar aplazando las cosas. *Después empiezo la carrera. Después llamo a mi mamá. Después juego con mis hijos. Después perdono a mi tío...* Y después el café se enfría, la vida se acaba, los amigos se van. Después mañana es tarde", advierte el especialista, señalando que "preferimos decir *'no tengo tiempo'* que tomar acción y esa es una respuesta del sistema nervioso autónomo del cerebro para que nos autoconsolemos".

"Dice la Biblia que hay tiempo para todo. Siempre les digo a mis pacientes que en la vida hay miles de oportunidades, pero uno tiene que distinguir cuándo es la primera oportunidad, cuándo es la mejor... uno no sabe cuál será la última. Hay gente que espera el tiempo perfecto para casarse, pero debe tener tres casas y llegan los 40 (años) y no pasa nada. Más que tiempos perfectos, hay tiempos correctos".

El Dr. Barco citó estudios según los cuales pasamos casi el 50% de nuestro tiempo distraídos en lugar de estar conscientes de nuestro entorno inmediato, como uno de 2010 de los psicólogos de Harvard Matthew A. Killingsworth y Daniel T. Gilbert, que además concluye que vivir soñando despiertos no contribuye a nuestra felicidad.

"Hay que vivir el aquí y el ahora, y eso te va a ayudar a distinguir cuál es el momento correcto", dice el @drsinstress. "Hay que disfrutar los procesos, pero debemos tener en cuenta que los procesos de todas las personas no son iguales".

Para aprender a disfrutarlos, nos da tres consejos:

1. Hay que sorprendernos. ¡No podemos perder el placer del wow! A veces vivimos la vida como las películas que ya vimos, creyendo que sabemos todo lo que viene.

2. Tenemos que ser humildes. Cuando veo las cosas desde la humildad, me permito aprender de todo el mundo y no pensar que solamente está bien como yo lo hago.

3. Tomarse las cosas menos en serio. Nos hemos convertido en la cultura que exalta al más complicado. Hay que aprender a hacer chistes de nuestras propias dificultades. Eso se llama resiliencia.

#NOTEQUEDESCONLASGANAS

1. *"Tú tienes 168 horas a la semana. Si pasas 40 trabajando, siete haciendo ejercicio y 56 durmiendo, te sobran 65 horas. ¿Qué estás haciendo con ellas?"*

2. *"Distracción es esa película que elegimos acostarnos a ver en lugar de usar ese tiempo para ir creando el plan que nos acerque a nuestros sueños cumplidos".*

3. *"¿Qué tanto de lo que has hecho hoy te ha acercado a eso que tienes ganas de cumplir?"*

4. *"La tecnología, que hasta ahora te ha jugado una mala pasada distrayéndote de tus obligaciones, puede también convertirse en tu gran aliada para devolverte tiempo valioso".*

5. *"Una vez que estés organizado, tu vida será más fácil y eliminarás la ansiedad constante de no estar nunca a tiempo".*

El ARTE no quedarte con ganas

3
NO MIDAS TU TIEMPO CON RELOJES AJENOS Y SIENTE LA MAGIA DE LA SINCRONICIDAD

"El tiempo es oro"

– Benjamín Franklin

El "no tengo tiempo" es el arma letal de los sueños.

Las personas que viven muy ocupadas y se lo recuerdan a todo el mundo, se enredaron en las cuerdas de la prisión de su propio tiempo.

Para muchos el "estoy muy ocupado" equivale a ser muy productivo y lamento bajarlos de la nube, pero eso no siempre es bueno. Las personas que dicen que están muy ocupadas es quizás porque están perdiendo mucho tiempo al no saber cómo usarlo en beneficio de sus propias metas.

Como dice mi exjefe Alberto Ciurana, de tanto "todo a su tiempo" se nos va la vida.

Yo te propongo que a partir de hoy hagas un chequeo de tus 24 horas diarias y escribas cuánto tiempo le dedicas a qué o a quién.

Una vez que tengas esa lista, te animo a que marques en amarillo lo que es para ti más importante y "no negociable". Eso lo vas a mantener.

Después, saca de esa lista todo lo que no te está ayudando a pasar a un nivel que te acerque a tus metas. ¿Cuánto tiempo te está quedando libre? Ese es el tiempo que le puedes dedicar a esas ganas con las que te quedaste.

Según el millonario Warren Buffett, el gran secreto para que el tiempo rinda es aprender a decir que no. Y en eso tiene mucha razón. Por experiencia propia les puedo decir que cuando dices a todo o casi todo que sí, de pronto miras el reloj y te encuentras sin tiempo para hacer tus cosas.

Uno de los procesos que viví al escribir este libro contra reloj fue pronunciar muchos "no" durante dos meses. Me enfoqué en atender los asuntos de mi trabajo únicamente, porque eso nunca se puede descuidar, pero dejé de dar entrevistas y aceptar invitaciones. Para que este libro naciera, tuve que dejar de hablar por un par de meses de sus hermanos mayores: "La mujer de mis sueños" y "Tu momento estelar". Y sé que el plan funciona porque siempre veo cómo crece el nivel de rendimiento cuando estoy totalmente enfocada en algo.

Estar enfocada quiere decir priorizar. Cuando estoy totalmente presente en mi propósito, sé que no me puedo desviar. Y pasa con mucha facilidad. Por eso hay que alejarse del teléfono para no caer en la tentación de entrar a mirar un email, saltar a Twitter, y de ahí conectarme a otro enlace que va acumulando minutos en contra. Hay que encerrarse y pedir que no te molesten en una hora o el tiempo que hayas destinado para trabajar en lo que necesitas. Mi esposo dice siempre que yo a todo el mundo le cuelgo enseguida el teléfono y que con el "¡Te mando un besito, bye!" los despacho a todos rápidamente. La verdad es que no me gusta hablar mucho por teléfono. O mejor dicho, no me gusta hablar mucho por teléfono con todo el mundo. Tengo mi gente con la que puedo demorarme una hora hablando, pero las conversaciones de trabajo sí trato de terminarlas en cuanto veo que se salen del tema. Otra cosa que me molesta muchísimo, e incluso llegué a escribir una columna al respecto para el periódico La Opinión, es el uso de los chats para mandar cadenas de oración, memes o chistes. Me incomoda que me saluden y me pregunten por la familia en WhatsApp cuando yo sé que lo que viene es un pedido. Ese *typing*... eterno en la pantalla que no aparece convertido en mensaje me hace sentir que estoy perdiendo tiempo. A mí me gusta ir al grano, preguntar lo que necesito y responder lo que se me pide.

Mientras escribo y analizo mis notas, pienso en que *tiempo* es lo que todos tenemos sin notarlo, y eso solamente lo entendemos cuando nos quedamos a solas con él.

El día tiene 1.440 minutos. Si empiezas a utilizarlos a tu favor, vas a notar la diferencia en los resultados. Aquí algunos tips para lograrlo:

1. Escribe todo lo que quieres hacer durante el día.
2. Levántate una o dos horas más temprano. Dicen que esas son las horas más productivas.
3. Organiza tu lugar de trabajo. En los escritorios desordenados, como los cerebros, hay menos productividad. Un escritorio simple y bonito invita a trabajar.
4. No hagas varias cosas a la vez. Enfócate en las importantes y haz esas primero. Ese cuento del *multitasking* nos cuelga medallitas que no necesitamos y nos pesa. Más que eso, nos agota. Y acostarnos agotados todos los días no es la misión que vinimos a cumplir en esta vida.

Y te recuerdo que la felicidad de lograr todo lo que nos proponemos en esta vida comienza siempre en nuestra cabeza con una palabra que se llama decisión. La decisión de cambiar tus hábitos.

No te mortifiques preguntándote cómo vas a salir a caminar todos los días del resto de tu vida. Imagínate caminando hoy. Un día a la vez.

¿A ti qué te va a cambiar la vida: la decisión de tomar ese curso que te va a preparar para cumplir esa meta, o la decisión de pasar todo el día repasando vidas ajenas en tu teléfono? O hablando con las amigas. O viendo series en Netflix (que soy fan de ellas los viernes por la tarde como premio a una semana súper productiva).
Tú decides.

Si tú estás leyendo o escuchando esto y eres de los que se levanta cada día a cumplir los sueños de otros, si te despiertas sin ilusión porque piensas que ya no hay nada que hacer, si ya no distingues si en el alma tienes rabia o dolor por no haberlo logrado o si ya le pusiste fecha de vencimiento a tu vida, no pienses que tienes este libro en tus manos por casualidad.

Este puede ser un último llamado de la vida.

Una nueva oportunidad para intentarlo desde cero y con nuevas armas.

El momento de tomar acción y no seguir posponiendo tu felicidad.

Quizás mires a tu alrededor con frustración porque piensas que a ti aún no te ha llegado la hora del éxito. Un consejo que quiero que recuerdes y que a mí siempre me ha ayudado mucho es: no midas tu tiempo con el reloj de otro. A todos nos llega la hora de triunfar... pero no a la misma vez. Hay quienes consiguen el amor en kínder y otros en el asilo de ancianos. Hay quienes compran su primera casa a los 30 y otros a los 60. Pero el de 60 no puede mirar con envidia al de 30 ni el 30 debe sentir lástima por el de 60.

En esta vida para todos hay. Nunca mires tu vida con relojes ajenos.

EL TIEMPO PERDIDO BUSCANDO EL BALANCE

Las mujeres somos mucho más propensas a quedarnos sin tiempo. Por eso nos atormentamos diariamente buscando el dichoso balance. De 100 entrevistas que me hacen, les juro que en 80 me preguntan al respecto y me piden que aconseje a las mamás jóvenes que se angustian por no encontrarlo.

Yo hace muchos años me despreocupé de eso. Comencé a ser feliz y a disfrutar el camino cuando comencé a estar totalmente presente en todo lo que hago. Y el mejor consejo que le doy a las mamás que trabajan es que no lleguen a casa diciéndole a los hijos que están muertas de cansancio y no se pongan a pegarles gritos o a jugar con el teléfono sin mirarlos a ellos.

Eso no es el balance. El balance es estar totalmente presente en el trabajo y totalmente presente en la casa con la familia.

Otra de las preguntas que me hacen constantemente es de dónde saco tiempo para escribir si yo debo ser una persona muy ocupada. La respuesta es fácil: he escrito tres libros en cinco años evitando las distracciones, poniéndome metas que cumplo y, sobre todo, enamorándome de lo que hago. Cuando uno no ama lo que hace, nunca va a encontrar tiempo para darle.

En eso tenemos que aprender de los hombres, a quienes por ciento nunca les preguntan de dónde sacan tiempo ni cómo o dónde encuentran el balance. Y uno de los que podemos aprender mucho es Jeff Bezos, el fundador y presidente de Amazon (a quien la pandemia hizo más millonario y llevó su fortuna a 200.000 millones de dólares).

1. Bezos se acuesta temprano y duerme ocho horas. Según él, eso le permite ver todo con más claridad, pensar mejor y tener mejor sentido del humor.
2. No agenda reuniones antes de las 10 am; las primeras horas de la mañana las dedica a organizar su día.
3. No toma más de tres decisiones importantes en un día.
4. Para hacer sus negocios, siempre toma en cuenta el futuro a largo plazo.

Sí, ya sé que quizás eres mamá o abuela, tienes hijos o nietos chiquitos revoloteando por la casa y estás pensando cómo dormir ocho horas seguidas o no hacer nada hasta las 10 am. Lo primero que debes hacer es entender que necesitas tiempo para ti. En la medida en que tus niños cumplan una rutina de horarios, tú vas a poder cumplir los tuyos. Si los niños deben estar listos para dormir a las 8 de la noche, quizás tú puedas luego apoderarte de dos horas para planear tus cosas. Lo más importante es que no te flageles más. Ni que permitas que la culpabilidad entre en tu vida.

¿POR QUÉ HAY COSAS QUE SUCEDEN AL MISMO TIEMPO QUE LAS NECESITAS?

Conchi Alfonso, mi compañera de trabajo, gran amiga y además una gran consejera espiritual, es una de esas abuelas que siempre está pendiente de sus nietos y los acompaña a sus prácticas deportivas después de recogerlos todos los días del colegio.

Durante esta pandemia, Conchi trabajó desde casa y sus nietos también se quedaron recibiendo clases virtuales. Conchi decidió cumplir uno de esos sueños para el que nunca encontraba tiempo. Así me lo contó:

"Cuando me propusieron en la Iglesia regresar a la universidad para hacer el curso de Acompañante Espiritual, uno de mis temores más grandes era que no iba a tener tiempo para hacerlo. Me tomó mucho decidirme (cerca de año y medio), pero un día determiné que este no era mi proyecto y que yo no lo había buscado, que era Dios el que me estaba llamando y por eso decidí dejarlo en sus manos y le pedí que si eso era lo que él quería, tendría entonces que enseñarme cómo encontrar el tiempo para hacerlo. Con esa convicción comencé a realizar todos los trámites que necesitaba. Unos meses después nos sorprendió la pandemia y de pronto me encontré con un montón de tiempo en mis manos. Me atreví a dar el gran paso. Me aprobaron en la escuela y el primer día de clase ocurrió algo que fue la confirmación de que Dios no nos suelta de la mano durante los procesos. La profesora tenía una cesta con unos papeles y cada uno tenía una palabra escrita. Los estudiantes teníamos que escoger uno que sería como el símbolo de esta nueva etapa. Ella nos recomendó que la palabra que nos saliera, la escribiéramos en nuestro cuaderno y la dejáramos ahí durante todo el curso para que de vez en cuando la palabra nos hablara. La palabra que me salió a mí fue *Tiempo*".

¿Coincidencia? Yo he aprendido a llamarlo sincronicidad.

Porque, ¿cómo te explicas que de entre todas las palabras que había escritas a Conchi le saliera precisamente *Tiempo*?

Seguramente porque esa era la palabra que Conchi más necesitaba.

Dicen los expertos que las casualidades no existen y que todo tiene un porqué que siempre viene detrás. Cuando algo sucede en el momento exacto en que tú lo necesitas es porque estás viviendo intensamente un proceso creativo que te ayudará a crecer como persona. Estás viviendo tan intensamente ese momento que el Universo empieza a bombardearte con señales. Confieso que a mí me ha pasado muchas veces durante el tiempo que llevo escribiendo este libro. Como si una fuerza superior a mí estuviera organizando todos los detalles que deben ser publicados en él. Desde personas que aparecen de pronto explicando lo que quiero transmitir, hasta otras que sin saberlo me dan ideas para desarrollar. Yo que siempre estoy atenta a las señales siento que agarro más fuerza para seguir adelante.

Lo que al principio de mi vida se llamó casualidad, después causalidad y más tarde Diosidencia, para mí hoy es la gran Magia de Dios, así con mayúsculas, que te envía esas señales para confirmarte que vas por buen camino. Tengo la enorme fortuna, quizás por estar muy atenta, de que eso me pasa con mucha frecuencia. Y siempre pienso que el Universo orquesta esas señales para ir haciendo posibles los sueños. Por eso de pronto aparecen personas que te llevan a otro nivel profesional, o te invitan a ser parte de sus proyectos. Y todo, es mi propia teoría, ocurre desde el momento en que tú comienzas a tomar acción. El Universo empieza a fluir con la fuerza que le pones a esa acción y ahí es cuando confirmas que los tiempos de Dios son perfectos. Yo que he sido una controladora toda mi vida, he tenido la bendición de estar atenta a las señales y eso ha hecho que aprenda a dejar fluir las cosas para que se alineen en su orden divino.

Según el psicólogo Carl Jung, quien le dio nombre a la sincronicidad, uno se conecta tanto con lo que está sucediendo a su alrededor que al final acaba creando circunstancias que coincidan. Deepak Chopra, por su parte, aconseja que uno no interprete cada coincidencia sino más bien que agradezca a la vida la posibilidad de experimentar la coordinación cósmica que existe en ella. De esa manera, se hará más fuerte esa conexión y obtendrás beneficios de ella. Nuestra vida, según Chopra, es una versión editada de muchas cosas que nos suceden y la sincronicidad lo que nos está diciendo es que estemos atentos a todo lo que nos pueda pasar para seguir creciendo.

¡QUE VIVA LA SERENDIPIA!

Una de las palabras que más me gusta decir en inglés es *serendipity*. Me encanta su sonido y su significado. En español la traducen como serendipia y la definen como el encuentro de algo maravilloso que no se buscaba. Mi mamá le diría a eso un hallazgo de *chiripa*. Y mucho se ha escrito sobre la serendipia. Se sabe que Serendip era el nombre antiguo de Sri Lanka y hay una fábula del siglo XVIII, "Los tres príncipes de Serendip", que cuenta que tres príncipes descubrían soluciones a problemas sin buscarlo ni proponérselo.

Cristóbal Colón y Yalitza Aparicio son muy buenos ejemplos de serendipia. Colón descubrió América pensando que había llegado a la India. Y a Yalitza, que era una maestra desconocida, le dieron el papel protagónico en la película "Roma" cuando fue a acompañar a su hermana a la audición. Yalitza se convirtió en la primera mujer indígena mexicana en ser nominada a un Oscar. Y lo mejor es que fue por su trabajo en una película para la que ni siquiera pensó audicionar.

Los descubrimientos de la ciencia también están llenos de serendipias. El Viagra, por ejemplo, surgió mientras se realizaban experimentos en busca de una medicina para la angina de pecho. Uno de los efectos secundarios fue la erección. "¡Qué viva la serendipia!", gritarán millones de hombres agradecidos. Lo cierto es que estos eventos que nunca ocuparon espacio en ninguna agenda son una gran lección que debemos recordar siempre para aprender también a ser más flexibles. De hecho, los estudiosos del tema aseguran que quienes más experimentan y se enamoran de la serendipia son por lo general personas creativas, curiosas, con sentido del humor, flexibles y perceptivas.

¿Cómo se consigue atraer la serendipia?

1. Trata de mantener siempre la mente abierta.
2. Alimenta tu curiosidad.
3. Fíjate siempre en las señales.
4. Lleva un registro de las cosas bonitas que te pasan. Hay que creer en la serendipia para que te ocurra.
5. Celebra las cosas que te pasan por accidente. De alguna de ellas puede salir algo maravilloso.
6. Aprende a decir que sí a esas invitaciones que te dan flojera aceptar.
   Dicen que mientras menos ganas tienes de ir a alguna parte, más magia encontrarás en ese lugar.

Hace unos días leí un artículo que me hizo pensar, cuyo título preguntaba si los *millennials* estaban matando la serendipia en el amor al usar las aplicaciones para conseguir pareja. Yo sigo prefiriendo aquellas historias que lo hacen a uno soñar, aunque tarden más tiempo en hacerse realidad. Una de mis preferidas es la de una mujer que escribió su nombre en un libro, lo puso en una biblioteca y deseó que algún día se lo encontrara su futuro esposo. Tiempo después un chico que leía ese libro vio su nombre, la buscó, se hicieron novios y fueron felices para siempre.

A SOLTAR LA CUERDA

Durante esta pandemia descubrí a una actriz, payasa y conferencista peruana llamada Wendy Ramos que grabó en España una conferencia para el canal de YouTube "Aprendemos Juntos" en la que brindaba un mensaje poderoso para las mujeres.

Tal vez fue la sincronicidad de la que hablaba Jung, pero esos minutos de video aparecieron en mis redes y me hicieron sentir que ella me conocía y que me estaba hablando a mí. Inmediatamente empecé a investigar quién era esta mujer con la que me había identificado tanto. Descubrí que además de actriz y conferencista era autora del libro "Diario de una vaca descarriada" y que estudió ciencias de la comunicación.

Wendy trabajó en un canal de TV hasta que un día sintió que no podía seguir usando mal su tiempo, su energía y su corazón para hacer algo que no la llenaba. En su video, decía con entusiasmo que hay que "agarrar la sartén por el mango":

"Si ese sartén es tu vida, ¿quién está agarrando el mango de tu sartén? ¿Lo tienes tú? ¿O alguien lo tiene y tú estás esperando que ese alguien decida qué cosa vas a hacer y qué no? (Tienes que) agarrar la sartén del mango de tu vida y decidir qué cosa quieres hacer tú, o no".

Contaba como ejemplo que, de pequeña, mientras esperaba a los invitados para su propia fiesta de cumpleaños, quería probar uno de los "*sanguchitos*" que aguardaban en la mesa pero que sus hermanas, que habían aseado toda la casa, no se lo permitieron aunque la agasajada era ella.

"'¡Sal! ¡Estás ensuciando!'. 'Quiero un *sanguchito*'. 'No, porque todavía no han venido los invitados'. Yo crecí pensando que mi fiesta era de los invitados y mi fiesta no es de los invitados. De eso me he dado cuenta de grande. Dije: '¡Oye, mi fiesta es mía!'... Agarren por favor el mango de sus sartenes. Agarra el mango de tu vida y toma tus decisiones de lo que tú quieres hacer, especialmente si eres mujer, porque nos han negado esa posibilidad por mucho tiempo y ahora ya la tenemos. Entonces hay que ver qué queremos y cómo lo queremos, e ir, y hacerlo".

Esa explicación de Wendy es de las más claras que me han dado en la vida.

Es tan común que las mujeres no nos sintamos protagonistas de nuestra propia historia. Nos hacen creer que si celebramos nuestros logros nos van a llamar arrogantes. Que calladitas nos vemos más bonitas. Y que las bonitas triunfan más rápido.

Me gustó tanto lo que escuché de Wendy que le escribí por Instagram para invitarla a que fuera parte de este libro. No tuve suerte. Nunca respondió. Pero como el Universo va construyendo puentes mágicos que lo conducen a uno a lo que quiere lograr, un día desperté y vi que mi querida amiga Erika de la Vega la había entrevistado para su podcast "En Defensa Propia". Enseguida le pedí ayuda a Erika, quien dos horas más tarde me pasó el teléfono de Wendy. Su entrevista me sirvió de conexión para que yo se las pudiera presentar en este libro.

Le escribí por WhatsApp y les tengo que decir que cuando vi en la parte superior de mi pantalla que Wendy estaba *typing*... me llené de una emoción que sólo conocen los que luchan por lo que quieren y no se quedan con las ganas de nada.

Wendy me dijo inmediatamente que sí sería parte de este libro, lo que me hizo muy feliz porque su personaje de *Cuerda*, del que ya vamos a hablar, es el ejemplo perfecto de lo que nuestra vida puede convertirse con el paso del tiempo.

Gracias a *Cuerda*, Wendy ha cambiado muchas vidas. En sus presentaciones son muchos los que se dan cuenta de que viven amarrados.

Todo empieza con este personaje atado a una cuerda y ella demostrando cómo ésta no la deja ir. Pero pronto se cae, la cuerda se rompe y en un instante le cambia la vida. El problema es que ahora no sabe qué hacer con su libertad. Entonces busca de dónde amarrarse.

"Voy al público y le digo: *Tú vas a ser mi esposo ya, y yo voy a girar en torno a ti. Cuando tú estés feliz, yo voy a estar muy feliz y cuando tú estés triste yo voy a estar peor. Y siempre te voy a decir que si tú te vas, yo no voy a saber qué hacer, te voy a dar esa responsabilidad.* Y de ahí me iba donde una mujer y le daba y le decía: *Tú vas a ser mi madre, y yo siempre te voy a ir a visitar, pero si un día no voy, tú lloras, me manipulas y me haces sentir horrible. Y yo te voy a contar todos mis problemas y mis secretos y tú vas a ir corriendo y se los vas a contar a tus amigas.* Me iba donde otra y le decía: *Tú vas a ser mi hija y yo voy a hacer todo por ti, hasta cosas que no quiero hacer. Y cuando mis amigos me digan: 'Oye, ¿por qué has hecho eso?', yo les voy a decir: 'Es que tengo una hija'. Tú vas a ser mi gran excusa.* Y de ahí iba donde otro y le decía: *Tú vas a ser mi jefe, mándame mucho trabajo, que no te importe nada. Mándamelo en mi cumpleaños, en Navidad, en las madrugadas, en mis vacaciones. Yo siempre te voy a responder. Voy a renegar un poco, voy a decir: 'Ay, qué pesado este hombre, lo odio. ¿A qué hora son las cinco para largarme a mi casa? ¿Cuándo llegan mis vacaciones? Ya no soporto más'. Pero no te preocupes que no voy a renunciar".*

Y así, según Wendy, nos pasamos la vida y se nos acaba el tiempo pisando huevos, rezando que no nos boten, que nadie sufra.

"Tenemos que buscar excusas para atarnos a algo", le explicó Wendy a Erika de la Vega. "Es más fácil que otro decida. Que tu trabajo mejore, que tu esposo te ame, y vives esperando todo el tiempo. Un día me di cuenta de que no tenía yo el mango de mi sartén. A mí me escribe gente que es CEO de una empresa y no es feliz. El día que me di cuenta de que tenía lindas cosas por hacer, pero no podía porque me estaban amarrando e iba a tener sólo 15 días libres el próximo año, me atreví y mandé los correos con la gente que yo quería trabajar el año próximo y después dije: *¡Wendy! ¿Qué has hecho? ¡Estás loca!* Rompí todas las reglas que tenía en mi cabeza. Por eso insisto tanto en que la gente estudie. Para que eso les dé seguridad".

Y así fue como Wendy se fue convirtiendo en lo que quería ser y fue construyendo el proceso que quería vivir. Cuenta que antes de aceptar una oferta, se pregunta: *Si no existiera el pago, ¿igual haría este trabajo?* Y que siempre le saca el lado positivo a lo que le pasa.

"Tengo miedo a un montón de cosas, pero siempre pienso en lo peor que puede pasar y nunca es tan grave. Hoy me siento exitosa porque tengo tiempo. Tiempo para reinventarme y abrazar el cambio. Hay que adaptarse al cambio. Durante esta pandemia no celebramos lo bonito que pasa. Me di cuenta de todo el tiempo que perdía yendo a sitios. He salido muy poco. Descubrí que puedo quedarme en casa para siempre. (Hago) mis listas de cosas para hacer, tomo talleres, y no tengo todos esos tiempos de traslado. Tengo una carpeta de cuarentena pensando que iba a durar menos tiempo y ya llevo seis meses poniéndole cosas. Hago conferencias. Escribí una película. Todos los domingos nos reunimos con mis hermanos por Zoom. Nunca habíamos estado tan enterados de nuestras vidas".

Wendy, ¿Qué haces cuando te quedas con ganas de algo?
"Cuando me quedo con ganas de algo, lo apunto en mi lista de pendientes. Cuando me quedo con ganas de algo que parece imposible de lograr, lo pongo en mi lista de sueños imposibles. Cada cierto tiempo actualizo mis listas. Cuando veo que se van quedando vacías, las vuelvo a llenar".

¿Cómo logras no pronunciar el "no tengo tiempo" y tomar acción?
"Hace un tiempo, nunca tenía tiempo. No tenía tiempo para los otros y tampoco tenía tiempo para mí. Cuando empecé a emprender, me enamoré tanto de mis proyectos que, sin ningún remordimiento, usaba todo el tiempo de mi empleada más fiel: yo misma.
Yo sufría de lo contrario, tomaba acción en todo, un proyecto tras otro, varios al mismo tiempo, no me daba tiempo ni para descansar. Ahora tengo más tiempo porque elijo mejor mis acciones, voy con calma, me detengo a descansar, recargar, vivir más para llenar mi mente de nuevas ideas, que hacen que mis acciones ahora tengan mucho más sentido".

¿Como será la Wendy post COVID-19?
"Esta temporada nos ha volteado el mundo a todos, nos ha mostrado qué era lo verdaderamente importante, le ha dado prioridad a cosas que sentíamos tan normales que no las veíamos y nos ha dado un curso intensivo de adaptabilidad, creatividad, flexibilidad. Yo ya venía entrenando para adaptarme. He practicado mucho el arte de soltar con alegría. Siento como si hubiera vivido al menos cuatro vidas en una. Y cada vez ha sido más fácil saber que después de un final, una ruptura, una separación, un virus como este, sólo puede venir algo mejor, porque cada vez tenemos más herramientas y más experiencia.

Yo me siento más fuerte. Todos deberíamos sentirnos más fuertes, ¡Estamos sobreviviendo una pandemia! Y sin ningún manual. Somos un milagro".

Sus 3 consejos para que no te quedes más nunca con ganas de algo:

1. ¿Qué es lo que tienes ganas de hacer? ¿Es algo que puede ayudar de alguna manera a personas que no conoces? ¿Es algo que puede contribuir al bienestar o felicidad de tu familia o amigos? Hazlo por favor, te estamos esperando. O tal vez es algo sólo para ti, algo que luego te va a enorgullecer sólo a ti, que te va a hacer sentir bien, algo que necesitas para tu comodidad. Hazlo por favor, te lo mereces.

2. Sí. Es mucho más fácil y cómodo esperar que lo que tú quieres en tu vida aparezca mágicamente, que alguien te lo dé, que te lo mande Dios, que lo ganes en un concurso. Tienes que saber que podrías pasarte la vida esperando el milagro. A veces hay que pararse e ir a buscar lo que uno quiere. ¿Cuesta trabajo? Claro que sí, la felicidad no está flotando en el aire, hay que ir a buscarla.

3. Haz como yo: si lo que quieres es posible, ponlo en tu lista de pendientes. Si no es posible, ponlo en tu lista de sueños imposibles. Y luego haz lo que tengas que hacer para que esa lista sea tan importante como las otras listas de tareas a las que les das *check* todos los días.

Las reflexiones de Wendy me hicieron recordar que crecemos con un discurso aprendido de nuestras abuelas, tías o mamás y que a veces cuesta mucho deshacernos de él. Aquellas recomendaciones de las abuelas cuando éramos niños e íbamos a salir. *Cómete todo lo que te ofrezcan* (aunque sean los *sanguchitos* de la dueña de la fiesta). *Orina antes de salir para que no vayas a llegar a casa ajena pidiendo entrar al baño.* Y uno se tenía que comer lo que no le gustaba y aguantarse las ganas de hacer pipí.

Y creces y sigues pensando que no hay que incomodar pidiendo un baño para calmar tus ganas de hacer pipí. Eso se traduce en que hay que cuidar siempre lo que dirán los demás de ti, en vez de trabajar en lo que realmente debes hacer para sobresalir y brillar sin miedo.

Una cosa es que uno sea generoso y ayude a otras personas, y otra muy distinta que te olvides de ti y pongas de prioridad la vida de los otros. Para cambiar ese hábito tienes que aprender a decir que no. Al principio será muy difícil, pero la satisfacción de ese primer "NO" que pronuncies te va a querer llevar al segundo, y un día te vas a sentir tan bien contigo misma que no habrá vuelta atrás. Cada vez que pronuncies ese "no" lo vas a hacer para poder tener más tiempo para ti, para trabajar en tus planes.

Para que nunca más en tu vida te quedes con ganas de nada. Y si esas personas a las que les dices que "no" se van de tu vida, era porque no merecían estar en ella.

Otras de las cosas de las que Wendy habla muy bien es el miedo. Ese maldito miedo que yo también he sentido, ustedes lo saben, y que ha hecho que me convierta en una activista en contra suya.

"Hay miedos que no sirven para nada y hay otros miedos que sirven", asegura Wendy. "Yo todo lo hago con miedo y lo que produce en mí el miedo es que tengo que hacerlo mejor. Me preparo más, estudio más. Llamo a gente para que me ayude".

Cuando escuché a Wendy, no sé por qué también recordé a una viejita amiga que guardaba pijamas sin estrenar en el clóset por si algún día se enfermaba y tenía que ir al hospital. Igual que tus fiestas deben ser para ti y te puedes comer todo lo que quieras, tus pijamas no deben esperar momentos tristes para estrenarse.

No podemos seguir viviendo vidas prestadas ni mandándole

a nuestro cerebro frases como estas:

1. Mañana empiezo.
2. Hay gente que tiene tanta suerte.
3. No puedo con este cansancio.
4. Se dice fácil...
5. Explícame con qué tiempo.
6. Del dicho al hecho...
7. Ya yo sé que no voy a poder.
8. Yo no me voy a meter ahora en ese problema.
9. No mijita, yo vivo muy tranquila pa' buscarme más líos.
10. Yo en eso mejor ni me meto.

A mi amiga Conchi Alfonso, de quien les hablé unas páginas atrás, el tiempo le ha dado tres buenas lecciones que hoy siempre me repite:

1. Lo único que puedes dar sin recibir nada a cambio es tu tiempo. Una vez que lo regalas, nadie te lo puede devolver.

2. La puntualidad es una de las virtudes más apreciadas porque refleja el respeto que sientes por el tiempo de las otras personas.

3. Entre más ocupada estés, más debes planear. Cuando aprendes a planificar tu tiempo de manera eficiente nunca lo pierdes.

Y ahora te voy a contar la historia de una señora que seguramente conoces y que te servirá para agarrar impulso cada vez que pienses que te vas a quedar con las ganas de algo.

ISABEL ALLENDE: UNA OBRA MAESTRA QUE COMENZÓ EN UNA COCINA Y DE NOCHE

La escritora chilena Isabel Allende, una mujer que a sus 78 años permanece disciplinadamente activa y que hoy es la escritora viva más leída del mundo en lengua española, siempre me ha servido de inspiración por muchos motivos. Uno de ellos, porque sabe manejar muy bien su tiempo.

Su primera obra maestra, "La casa de los espíritus", la empezó a escribir un 8 de enero cuando le avisaron que su abuelo se estaba muriendo y es el mejor ejemplo de que cuando se quiere, se puede. El libro lo escribió en la cocina de su casa, sacándole tiempo a la noche, durante su exilio en Venezuela. Allí no pudo encontrar trabajo como periodista y tuvo varios empleos, entre ellos el de administradora de un colegio.

"Yo como administradora soy pésima", me contó Isabel cuando la entrevisté para #CharlasconLuz. "Yo tenía casi 40 años, sentía que no había hecho nada en la vida que valiera la pena, estaba a punto de divorciarme, con dos hijas. Iba a la oficina 12 horas al día y en la noche, después de servir la comida, me daba una ducha, y allí en la cocina escribí las 560 páginas de 'La casa de los espíritus'. El manuscrito estaba sucio de café y de salsa de tomate. Mi mamá se lo ofreció a varias editoriales y la única persona que contestó dijo que no. Un periodista argentino me dijo que tenía que conseguir a un buen agente. Conseguí a Carmen Balcells en España y le mandé el manuscrito inmundo. Me dijo que haría todo lo posible por publicarlo. Se publicó en septiembre y en octubre fue el hit de la Feria de Frankfurt y no supe hasta un año más tarde".

Desde ese entonces Isabel se sienta cada 8 de enero a empezar un libro. Ya ha publicado 25, ha sido traducida a 40 idiomas y tiene más de 70 millones de ejemplares vendidos, algo que ella misma dice que "no se lo imaginó nadie".

Que una de las escritoras vivas que más libros vende en este planeta haya sido un ama de casa que trabajaba 12 horas diarias y que sentía a los 40 que no había hecho nada importante nos puede servir a todos, hombres y mujeres, de ejemplo. Ese gran *best seller*, "La casa de los espíritus", nos debe recordar que el éxito puede estar esperándonos en cualquier rincón de nuestra casa. Sólo hay que escogerlo y empezar a trabajar en él.

Durante el 2020 tuve la oportunidad de entrevistar a Isabel dos veces. Hablar con ella es delicioso porque siempre tiene una anécdota que ilustra perfectamente sus historias. Cuando le pregunté qué había sido lo más curioso que le había tocado vivir durante la pandemia, me respondió rápidamente:

"Estar con mi marido todo el día. Hay que hacer un ejercicio de disciplina, mucha paciencia y cariño. Yo me levanto todas las mañanas tempranito a las 6 de la mañana y me pongo maquillaje, como si fuera a salir, y tacos altos".

Y así, entaconada y maquillada, Isabel nunca interrumpe su rutina. Y siempre se le sale la pasión por los poros. Se casó por tercera vez después de los 70 y cuando le pregunté cuál era la diferencia entre estar enamorado a los 30 y a los 77, me contestó muy segura y sin pensarlo:

"Que a los 77 no tienes tiempo para perder, querida. A los 77 tienes un sentido de urgencia. Es saber que el tiempo que peleas lo pierdes y no lo recuperas nunca más. Empecé a vivir así cuando se murió mi hija Paula de 28 años. Yo tenía 50. La vida me cambió. Se me quitó el miedo a morir. Mi mamá me dijo: *nunca te va a pasar nada peor*".

De niña me cuenta Isabel que era muy tímida y que todo le daba vergüenza. Hasta que su padrastro le dijo un día: "Acuérdate que todos tienen más miedo que tú".

Curiosamente, Isabel no es amiga de los planes, aunque me deja muy claro que cumple con todas sus responsabilidades.

"Yo cumplo con lo que está en mi agenda", me explica. "Estoy hablando contigo porque lo tenía en mi agenda. Pero no hago planes de lo que voy a hacer la próxima semana. Voy flotando en una balsa por un río caudaloso. La corriente me va llevando en una cierta dirección. Lo único que puedo hacer es dirigir mi balsa para no chocar con las rocas. El éxito para mí es saber que se me facilitan las cosas. Tengo suficientes recursos para vivir decentemente, sin estar angustiada. Y recibir mucho cariño".

¿Qué le dirías a la Isabel jovencita?

"Que no se apure tanto. Que goce la vida más. Que se relaje un poco. Yo espero que esta experiencia global nos deje entender que somos una sola humanidad. Que los valores del capitalismo puro, que siempre es la ganancia, siempre hay que reemplazarlos. No necesitamos consumir tanto. No necesitamos la mitad de lo que tenemos. Necesitamos estar más en contacto con la naturaleza, más intimidad. Quiero estar más callada y mucho más conectada con la gente que quiero. Tenemos que entender que lo más importante de todo es el amor".

Para Isabel, el tiempo y la salud son dos tesoros grandes y valiosos que tiene.

"Ya no hago lo que no quiero hacer, soy más selectiva. Me arrepiento de haber pasado horas en cocteles en los que por amabilidad escuchaba a un imbécil decir cada cosa. De ahí que no quiera perder el tiempo ni en conversaciones ni en compromisos inútiles", le dijo Isabel a Luis Alberto Urrea en la presentación de su libro "Más allá del invierno". "Yo soy muy disciplinada. La mitad del trabajo es sentarse frente a la computadora siempre a la misma hora".

Decía Aristóteles que somos lo que hacemos repetidamente, y que por lo tanto la excelencia no es un acto... sino un hábito. Y de cómo crear los hábitos les hablo en el próximo capítulo.

#NOTEQUEDESCONLASGANAS

1. *"El 'no tengo tiempo' es el arma letal de los sueños".*

2. *"A veces hay que pararse e ir a buscar lo que uno quiere. ¿Cuesta trabajo? Claro que sí. La felicidad no está flotando en el aire, hay que ir a buscarla".*

3. *"Comencé a ser feliz y a disfrutar el camino cuando comencé a estar totalmente presente en todo lo que hago. Y el mejor consejo que le doy a las mamás que trabajan es que no lleguen a casa (el día que vuelvan a trabajar en la calle) diciéndole a los hijos que están muertas de cansancio y no se pongan a pegarles gritos o a jugar con el teléfono sin mirarlos a ellos.*
Eso no es el balance".

4. *"Y te recuerdo que la felicidad de lograr todo lo que nos proponemos en esta vida comienza siempre en nuestra cabeza con una palabra que se llama decisión".*

5. *"Acuérdate que todos tienen más miedo que tú".*

El Arte no quedarte con ganas

4
SECRETOS DE QUIENES UNO CREE QUE LO PUEDEN TODO

"Esos momentos en que te levantas temprano y trabajas mucho. Esos momentos en que te acuestas tarde y trabajas mucho. Esos momentos en los que no quieres trabajar. En que estás muy cansado. Y no quieres empujarte a ti mismo, pero lo haces de todas maneras. Eso es exactamente de lo que se trata el sueño"

– Kobe Bryant

Dicen que el hábito no hace al monje, pero los hábitos sí son responsables de hacerlo más exitoso o, por el contrario, de poner trabas en su camino hacia sus sueños cumplidos.

Desde que escribí "La mujer de mis sueños" me he dedicado a observar detenidamente el comportamiento de las personas que tienen éxito en la vida y ninguna jamás me ha hecho dudar de que las fórmulas realmente funcionan.

Crear hábitos saludables para nuestra vida, que nos sirvan para lograr eso que queremos conseguir, es fundamental. James Clear, autor de *"Atomic Habits"*, dice que el éxito no es más que el resultado de tus hábitos diarios y por eso aconseja que creemos nuevos cada día, aunque sea durante poco tiempo. Por ejemplo, meditar cinco minutos al día, no una hora, y poco a poco ir progresando.

Adaptarse a los cambios con facilidad es sin duda uno de los consejos que tenemos que seguir cuando se trata de crear nuevos hábitos. Y esto sí que necesitamos saberlo y practicarlo en los tiempos de pandemia. En mi caso, de lo que sí estoy segura después de vivir el 2020 es que ya nada me va a parecer difícil.

Y esa es una buena lección que me acompañará el resto de mi vida. Imaginarnos los procesos antes de vivirlos y crearles finales tristes es una de las cosas que tenemos en contra a la hora de luchar por lo que queremos conseguir. La experiencia me ha enseñado que no hay que crear drama, por el contrario, hay que dejar espacio libre en el cerebro para pensar que eso a lo que decidimos dedicarle tiempo para hacer realidad va a ser precisamente lo que nos cambie la vida para mejor.

Uno de los libros que leí durante la pandemia fue "Cómo hacer que te pasen cosas buenas", escrito por una de las siquiatras más reconocidas de España, Marian Rojas-Estapé, quien asegura que la felicidad no son las cosas que nos pasan, sino cómo interpretamos esas cosas que nos pasan. Según ella, vivimos en un mundo compuesto por un sistema de creencias que nos maneja: cuántos seguidores tenemos en redes sociales, cuánto dinero debemos estar ganando al mes y otra serie de eventos que manejan nuestras emociones. Si no suben los seguidores, o si no cumplimos con esa cifra que nos ponemos, entonces no podemos ser felices. Cada vez que vamos a nuestras redes y tenemos un *like* tenemos un chispazo de dopamina, la hormona del placer. Si los resultados no son los que esperamos, inmediatamente nos invade la tensión y la tristeza. Y así pasamos siempre nuestra vida haciendo que nuestra felicidad dependa de los resultados. Y nuestro cerebro nunca deja de funcionar y queremos controlarlo todo. Marian explica que nos obsesionamos tanto con tener esas vidas perfectas de otros que nos creemos cuando vemos fotos bonitas en Instagram, que incluso como padres queremos crear esas mismas vidas para nuestros hijos sin tener en cuenta que el error y el sufrimiento es algo normal que debemos vivir.

Tengo que reconocer que yo he sido controladora. Siempre cuento en broma que me dicen *controladoria*. Y es que estoy segura de que al ser la responsable de un resultado debo estar enterada de todo lo que ocurra en el proceso. Es como una manera de tener la conciencia tranquila por si algo no sale como yo quiero. Pero controlar el proceso no quiere decir que no suelte el resultado. Siempre trato de hacer las cosas lo mejor posible y el resto que lo bendiga Dios. Al menos hice todo lo que estuvo a mi alcance.

La buena noticia, que ya yo la sabía pero Marian la corroboró, es que el 90% de las cosas por las que nos preocupamos nunca suceden. Por eso es tan importante que siempre controlemos nuestros pensamientos y que esos pensamientos sean positivos. Los negativos nos llevan a padecer de estrés y el exceso de estrés tiene efectos dañinos en nuestro cuerpo y nos enferma. Por querer estar siempre controlándolo todo, nos perdemos de disfrutar el presente como se debe. Una de las promesas que me hice después de que cumplí 50 es que iba a estar más presente en todo y créanme que así sí se disfruta más la vida.

Marian explica en su libro que la cronopatía, o la enfermedad del tiempo, hace que nos cueste frenar porque nos obsesiona aprovechar el tiempo, y enfatiza que todo en exceso es malo.

Mi intención con este libro es que aprovechen el tiempo que hasta ahora habían perdido para cumplir sus sueños, no que se obsesionen con el tiempo y dejen de vivirlo. Es verdad que en los procesos hay que priorizar y tal vez elegir entre una fiesta o una clase que tomar, pero nunca dejar de darle calidad de tiempo a su familia para satisfacer un deseo personal. La gente más feliz, según Marian, es la gente que tiene dominada su atención. Ahí es donde está el control de impulsos, la gestión de problemas y la capacidad de planificar.

En este momento de mi vida no hago nada que al final de mis días me haga mirar hacia atrás y pensar, como decía Julio Iglesias en aquel éxito de los 80 (y cuando no había redes sociales a quien echarles la culpa de las distracciones), que me olvidé de vivir.

Lo canté tantas veces que creo que lo grabé en mi corazón: *"De tanto correr por la vida sin freno, me olvidé que la vida se vive un momento. De tanto querer ser en todo el primero, me olvidé de vivir los detalles pequeños"*.

EL SANTO REMEDIO PARA HACERLO TODO Y HACERLO BIEN

Uno de mis grandes compañeros durante la pandemia ha sido el doctor Juan Rivera, corresponsal médico de la Cadena

Univision y gran amigo. Recuerdo que en enero del 2020, en su consultorio de Miami Beach, me explicó detalladamente lo que nos esperaba.

"Nos vamos a contagiar, Luzma, y el gobierno de Estados Unidos no está haciendo nada para prepararnos. Nos van a hacer falta camas en los hospitales. No estamos preparados para lo que viene".

Lo noté realmente tan preocupado que por un minuto pensé que estaba exagerando. Diariamente, Juan entraba a mi oficina a ponerme al día de lo que estaba pasando con el virus. Hablábamos por teléfono a diario dos y tres veces. Juan se dedicó a estudiar el tema, a buscar respuestas, y por eso su presencia se hizo necesaria en todos los programas de Univision.

En marzo, cuando la curva comenzó a crecer, me parecía escuchar de nuevo las palabras que pronunció en enero. Todo lo que Juan nos dijo que iba a pasar, pasó. Juan se convirtió en la voz médica de los hispanos en Estados Unidos todo el día a través de "Despierta América" y el resto de los programas del canal. Y cuando les digo todo el día, es que Juan dedicó la mayor parte de su tiempo al servicio de la comunidad hispana del país, pero además de eso atendía a sus pacientes y se preocupaba por todos nosotros (no dejó de llamarme ni un día durante mi encierro). Y lo que nadie sospechaba es que además estaba escribiendo un libro para mujeres y creando una serie de productos médicos naturales que venía planeando desde el 2019, todo bajo la sombrilla de la marca Santo Remedio.

Yo que lo conozco bien les puedo decir que Juan tiene la virtud de estar totalmente presente en todo aquello que lo requiera. Recuerdo que cuando el presidente Donald Trump y la primera dama Melania Trump fueron diagnosticados con COVID-19, Juan pasó casi 24 horas seguidas transmitiendo en todos los programas de televisión y radio de Univision.

Su esposa, Ana Raquel, es su gran apoyo.

"Él vino a servir y es muy bonito ver el proceso", me dijo una vez Ana y me pareció una gran frase para todas las parejas que no entienden por qué el oficio del otro les roba su tiempo.

¿Cómo pudo el doctor Juan Rivera hacer tantas cosas en el 2020?

"Lo primero que hay que entender cuando haces varios proyectos ambiciosos a la vez, es que vas a requerir mucho tiempo. Y eso implica sacrificios", explica Juan. "Cuando estudias medicina, sabes que no vas a poder salir igual que tus amigos y no te vas a poder divertir como se divierten ellos. Yo he aprendido varios trucos que me ayudan".

1. "Casi todos los proyectos que tengo tienen mucho en común. El mejor ejemplo lo ves cuando escribo el libro de 'Santo Remedio' y a la vez estoy desarrollando una empresa de productos de Santo Remedio. Me tomó horas investigar sobre los remedios para el libro y ese contenido me sirve para la página web y para la elaboración de los productos. El tiempo me ayuda para todos. Cuando yo estoy estudiando, también grabo un video para redes sociales. Invierto una hora con sinergia entre los tres proyectos. Eso te va a dar unos frutos como si fuera un interés compuesto. Si fuera tres proyectos diferentes, por ejemplo, de animales, real estate y medicina, el tiempo invertido no va a ser tan eficiente en términos de resultados".

2. "Tienes que tener visión cuando inviertas el tiempo. Tienes que saber a dónde quieres llegar. De esa manera todas las oportunidades que durante un día compitan por tu tiempo las puedes medir de acuerdo con tus objetivos. Las que se acerquen más a tu objetivo, esas son las cosas en las que inviertes tu tiempo. Si tú sabes hacia dónde vas, vas a saber cuál es tu prioridad. Todas las mañanas levántate y piensa en cuatro objetivos y no te separes de ellos. Si no has cumplido esos objetivos en ese día, no uses el tiempo

90

en otras cosas".

3. "La familia es muy importante. Uno acaba sacrificando la familia si no se da cuenta. Yo involucro a mi familia en mis objetivos. En la mesa del comedor podemos hablar de esos temas, les pido su opinión, me envuelvo en su energía positiva".

A pesar de que tenemos una relación estrecha, nunca le había preguntado a Juan de qué se ha quedado con ganas en esta vida.

"Viendo crecer hoy a mis propios hijos, me arrepiento de no haberme ido a estudiar solo cuando era mucho más joven y a ser independiente y valerme por mí mismo. Si hubiese podido viajar más, cuando era joven, lo hubiera hecho. Me hubiera gustado explorar más, con un pasaje de ida y a ver cuándo volvemos. El concepto de tomar riesgos desde el punto de vista empresarial, y se lo diré a mis hijos cuando trabajen, es mucho más fácil cuando no tienes responsabilidades familiares y económicas. Si no te funciona, eres tú solo y no afectas a nadie más. Cuando eres cabeza de familia se hace más difícil tomar riesgos. Si yo pudiera volver hacia atrás, tomaría riesgos a una edad más temprana".

¿Cómo será el Dr. Juan Rivera pospandemia?

"Yo pensaba que íbamos a unirnos más y que no habría tanta división como hemos visto. Voy a ser más escéptico en términos de comportamiento humano. La pandemia me acercó a la comunidad hispana. Me siento mucho más unido a ella. Eso me da la oportunidad de ayudar más y de crear iniciativas más grandes por ellos. Yo estudié salud pública, y ver cómo la política le ha podido ganar y destrozar a las organizaciones de salud pública me ha dolido bastante. Todos los expertos debemos aprender a organizarnos de cara al futuro para dar un frente mucho más efectivo. Desde el punto de vista personal, aprendí a ser más efectivo con mis pacientes, creando maneras de darles cuidado en sus propias casas".

DEL CAOS AL ÉXITO: LA HISTORIA DE UNA MAMÁ SIN EXCUSAS

En los últimos cinco años de mi vida, a los que le agregué el título de autora, he tenido la fortuna de conocer muchas lectoras que se han encargado de inspirarme a mí cuando escucho sus historias. Una de ellas es Oly García, una chica venezolana a quien no parece detener ni la pandemia y quien tomó la decisión, cuando llegó a Estados Unidos, de crear su propio negocio, *Caramelos Design*, de camisetas personalizadas. Admiro su disponibilidad y la manera en que siempre está trabajando con un gran ánimo. A la hora que la llames está disponible. Su historia comenzó en Venezuela y ella la cuenta así de emocionada:

"Toda esta bendición que ahora vivo empezó después de un momento de crisis, después de que pensé que me había pasado lo peor que podía pasarme: perder mi trabajo soñado en la industria farmacéutica después de ocho largos años viviendo en un oasis. En Venezuela la visita médica desapareció, no había medicinas y yo que estaba enamorada de mi mundo y de mi trabajo estaba destrozada por haberlo perdido... Dios movió sus piezas y ahora lo entiendo. Me movió de todo lo que sabía hacer. Tenía dos hijos que mantener y muchas ganas de hacer algo que me devolviera esa pasión... En medio de toda esta tragedia conocí a Néstor, mi actual esposo, un gran diseñador, y cuando me explicó su trabajo empecé a admirar todo lo que hacía. Un día viendo una revista vi una camiseta personalizada... y le pedí que me hiciera una. Después que me hizo la primera, le dije: 'Hazme 40 porque mañana tenemos que estar en ExpoBaby, la mayor feria de artículos de bebé de Caracas'. Él se sorprendió y me dijo que estaba loca, que eso no era así... Le dije que me hiciera 40 pensando por lo menos vender la mitad, ya que Néstor me dijo una y otra vez que era arriesgado... Pero como me enseñó mi abuela, *a quien anda con DIOS lo ampara la providencia*, y yo me arriesgué... y llegué con mis 40 *bodies* de bebé personalizados, muchas ganas, Dios y la capacidad de vender que bien aprendí en la visita médica. Mi ubicación en la feria fue justo al frente de la que era, y digo era porque hoy en día no recuerdo su nombre, la reina de personalización en Caracas, y yo dije *aquí no venderé nada...*".

"No había pasado medio día y llamé a mi esposo y le dije: 'No vengas a la feria'. Él pensó que ya me había dado por vencida. Y le dije: 'No vengas, vete a casa y hazme 40 *bodies* más, ¡¡¡porque los vendí todooooss!!!' Encontré la ventaja que tenía ante la más grande y era que yo vendía camisetas de muchos colores. La exploté. Tenía miedo de regresar con todo, tenía miedo de perder lo que invertí y sin trabajo. Me dije, *de que los vendo los vendo*. Eso ocurrió el día 10 de julio del 2014 en mi país y hasta el día de hoy luchamos día a día por nuestra empresa con el mismo miedo de ese día. Cada paso implica un poco de miedo pero mi abuelita, mi gran mentora ante los riesgos, me decía: *Cuando tengas miedo de hacer algo... hazlo con todo y miedo*".

Cuando Oly y su familia emigraron a USA cometieron, según ella, un gran error que tal vez te parezca familiar: "Escuchar a todo aquel que no pudo y que nos decía *aquí eso no funciona*".

"Volvió otra vez el miedo, pero esta vez era un terreno desconocido y dije 'mejor no nos arriesgamos' y empezamos a trabajar cada uno en cosas que no queríamos. Pero teníamos ese sentimiento de haber abandonado un hijo y ahí estaba *Caramelos Design* esperando que lo rescatáramos. Pasaron meses... hasta que esa vocecita dentro me decía: *tú sí puedes, lo hace todo el mundo, ajá, pero no como tú, consigue esa ventaja que te diferencie, se la vaca púrpura como dice el gran Seth Godin*. Y esa vocecita que ahora digo que era DIOS me hizo decir un día: *ya va, no vine a este país a cumplirle los sueños a nadie... vine por los míos. Me arriesgué un día y dije voy a ponerle la misma cantidad de horas a mis Caramelos y lo voy a hacer crecer".*

Y así, sin vacaciones durante un tiempo, madrugando, trasnochando, tocando puertas, pidiendo ayuda, fue creciendo su empresa.

"Por supuesto me tocó ponerle más esfuerzo que cuando empezamos en Venezuela. Por un rato trabajamos paralelamente con otro trabajo. Nuestro día empezaba a las 5:30 am por lo menos los tres primeros años. A esa hora con mis niños dormidos, uno de 17, uno de 6 y el que estaba en mi pancita por nacer. Era la hora de organizar el día, empacar los paquetes a entregar y organizar lo que iba al correo, hacer desayuno y despertar a los niños. Luego a las 7 am mi esposo se iba a trabajar y yo a llevar a mis niños y luego a trabajar en cada *break*. En cada ida al baño atendía mis redes sociales, trataba de vender lo más posible. A las 3 de la tarde salía corriendo a buscar a mis niños y seguir dándole duro a comprar una que otra camiseta, ya que cuando mi esposo llegara a las 6 pm del trabajo todo tenía que estar listo para empezar la producción. Empezábamos a las 7 pm y comúnmente terminábamos a las 2 de la mañana. Mi hijo mayor nos ayudaba y dormíamos poquito, no había vacaciones. Recuerdo que muchos 31 de diciembre hasta las 5 o 6 pm estábamos entregando órdenes. Eran fechas buenas que no se podía parar, pero estábamos cosechando...".

La empresa de Oly ya es reconocida en la Florida. De hecho, durante la pandemia, ella siguió dictando cursos de capacitación para personas que quieren montar su propio negocio. Y con eso comprueba que los exitosos siempre deben ser generosos. Oly no sólo ha ampliado sus horizontes, también está ayudando a otros a ampliar los suyos.
Cuando recibimos tanto, debemos aprender a devolver. Sus consejos tan concretos no pueden ser mejores:

1. "Después de leer mi historia, sabrás que el primer consejo que te diré es NO TE RINDAS JAMÁS. A veces todo es cuesta arriba, pero en algún momento se endereza la curva. Pase lo que pase jamás pienses que la opción es abandonar tu proyecto".

2. "PLANEA Y VISUALIZA. No hay un día en que no visualizo a Caramelos siendo más grande, ya sé dónde estará el edificio que compraremos cuando seamos una empresa gigante, pero por eso lo pongo de primero. Planea, nada va a llegar si no lo haces. Ponte metas aunque te parezcan inalcanzables".

3. "ORGANÍZATE. No dejes nada al azar, no dejes nada para cuando tengas tiempo porque jamás se tiene tiempo. No hay un día que no organice en mi agenda las cosas que tengo que hacer, así sea una simple llamada. Si no lo hago mi día sale como sea y eso no me lo permito. Toma el tiempo para organizar qué harás día a día".

4. "NO SIEMPRE VAS A TENER GANAS, PERO DEBES TENER DISCIPLINA. Esta es la principal premisa. Yo siendo mamá de tres hijos, esposa e hija con una situación angustiante en la que vive nuestra familia en nuestro país, hay días que no tenemos ganas, hay noches en que el nené está enfermo, pero no tengo un jefe a quien llamar y pedir permiso. Hay días en que quisiera irme a la playa, pero debemos tener disciplina, horarios que cumplir, pedidos que entregar a tiempo. Tienes que dedicar un momento así sea corto al principio para ponerle todo lo que tienes a tu empresa, y ponerle todo digo los cinco sentidos en ella, no poner un post en redes y ya. Es estudiar el mercado, estudiar quién te puede ayudar, qué alianza buscar. Trabaja 80 horas para ti, pero no le trabajes 40 a nadie".

5. "BUSCA A ALGUIEN QUE TENGA LOS MISMOS SUEÑOS QUE TÚ. Yo tuve la bendición de encontrarlo con quien me casé, pero después la energía, la vibra, me llevó a buscar a amigas que tuvieran un mismo sueño de ser grandes, crecer, en ámbitos diferentes. Una quiere ser la mejor haciendo tortas en el país, otra es la reina de la decoración... La vida me fue llevando a ellas y estamos ahí para lo que sea, para llorar

cuando una inversión no sea buena y para celebrar cuando cada una logra sus metas... Sí las hay, sólo debes buscar bien en quién apoyarte".

6. "Y un sexto consejo que no puedo dejar de dar: INVOLUCRA A TU FAMILIA. Lo aprendí de "Padre rico, padre pobre"... Mis hijos dicen que cuando sean grandes serán los dueños de Caramelos Design y saben que tienen que trabajarlo desde ahorita... Haz que tus hijos se enamoren de tus sueños y enséñales que sí se pueden lograr las cosas, que sí pueden comprar el juego que quieren, que no es imposible ni es caro, pero hay que trabajarlo. Involúcralos y críalos desde la prosperidad, no la carencia. Y se los dije una y otra vez desde que empezó la pandemia: sobreviviremos los que sabemos hacer algo, los que podemos crear y reinventarnos".

Curiosamente una de las palabras más usadas de la pandemia fue *reinventarnos*. Y es a la misma vez una de las cosas que más miedo produce en el ser humano. Reinventarse es dejar de hacer lo que veníamos haciendo y requiere desacomodarse, atreverse a probar algo nuevo y diferente. El hecho de pasar más tiempo en casa nos ha permitido explorar más ideas que quizás antes no hubiéramos buscado. La innovación siempre nace por una necesidad y esta pandemia nos ha creado miles.

Y nos puede servir de inspiración lo que cuenta la historia: que Isaac Newton, debido a la peste de 1665, descubrió la idea para desarrollar la teoría de la gravedad. Y Shakespeare vivía en Londres cuando en 1580 cerraron los teatros debido a la peste bubónica y, de ser un actor, dramaturgo y accionista de una empresa teatral, se dedicó a escribir grandes obras como "El rey Lear".

¿Qué vas a hacer tú para aprovechar el tiempo?

Parte de usar bien el tiempo que tenemos es escoger bien nuestros proyectos.
A David Allen lo descubrí gracias al libro de Francisco Alcaide Hernández "Aprendiendo de los Mejores 2", y es un consultor

de productividad y creador del método "*Getting Things Done*", o en español "Organízate con eficacia". David dice que tal vez tus ideas no te parezcan muy valiosas al principio, lo importante es que la mayoría de ellas pueden tener ya la semilla de algo que puede resultar muy exitoso. Y aquí viene un gran consejo:

"Date la libertad de recoger toda clase de ideas para luego evaluarlas. La creatividad es la capacidad para conectar cosas, por tanto, nunca sabemos cuándo ciertas ideas nos pueden resultar útiles".

A la hora de entender el valor del tiempo no hay nada mejor que leer a Seneca. Las reflexiones de este gran filósofo nacido hace más de 2.000 años en España y criado en Roma todavía pueden aplicarse hoy. Su obra "De la brevedad de la vida" nos regala estas citas:

"El tiempo que tenemos no es corto, pero perdiendo mucho de él, hacemos que lo sea. Y la vida es suficientemente larga para ejecutar en ella cosas grandes, si la empleáramos bien... Lo cierto es que la vida que se nos dio no es breve".

Para el gran filósofo, los tres grandes ladrones del tiempo son las pasiones, la necesidad de recompensa y los retrasos.

"¿Por qué perdéis tanto tiempo? ¿Por qué vivís como si tuvieras que vivir siempre? Nunca piensas en vuestra fragilidad, nunca medís el tiempo que ya ha transcurrido, lo perdéis como si tuvieras un repuesto enorme y abundante. Teméis todas las cosas como mortales, y todas las deseáis como inmortales. No es que tengamos poco tiempo. Es que perdemos mucho".

#NOTEQUEDESCONLASGANAS

1. *"La felicidad no son las cosas que nos pasan, sino cómo interpretamos esas cosas que nos pasan".*

2. *"Haz que tus hijos se enamoren de tus sueños y enséñales que sí se pueden lograr las cosas, que sí pueden comprar el juego que quieren, que no es imposible, ni es caro, pero hay que trabajarlo. Involúcralos y críalos desde la prosperidad, no de la carencia".*

3. *"Todas las mañanas levántate y piensa en cuatro objetivos y no te separes de ellos. Si no has cumplido esos objetivos en ese día, no uses el tiempo en otras cosas".*

4. *"Por querer estar siempre controlándolo todo, nos perdemos de disfrutar el presente como se debe".*

5 *"La experiencia me ha enseñado que no hay que crear drama, por el contrario, hay que dejar espacio libre en el cerebro para pensar que eso a lo que le estamos creando el tiempo para hacer realidad va a ser precisamente eso que nos cambie la vida para mejorar".*

El ARTE no quedarte con ganas

5
EL MINUTO VIRAL QUE NOS HIZO PENSAR EN UNA VIDA ENTERA

"La muerte es un reto. Nos enseña a no perder tiempo. A que todos nos digamos ahora mismo cuánto nos amamos"

– Leo Buscaglia

Ese lunes era diferente. A las 8 pm iba a hablar en #CharlasconLuz con José Luis Rodríguez, "El Puma", uno de mis ídolos de juventud. Antes tengo que explicarles que todavía conservo la capacidad de sorprenderme, aun después de más de 30 años de carrera periodística. Aunque me he pasado más de media vida entrevistando famosos, a mí todavía me parece un verdadero privilegio que esos cantantes que me hicieron soñar enamorada en mis 20, y a cuyos conciertos asistía con mis amigas y cantaba con ellas a todo pulmón, hoy vivan como si nada en mi WhatsApp.

Durante todo el fin de semana me dediqué a leer el libro "¿Para qué vivir?" que José Luis publicó durante la pandemia y que me sorprendió por ser tan descriptivo y revelar tantas cosas que uno no sabía, como que Luis Miguel lo fue a visitar sorpresivamente al hospital cuando estuvo enfermo. El Puma siempre ha tratado de no hablar de más sobre su vida privada. Sin embargo, en este libro, que parece una conversación muy sincera con él, habló sin tapujos sobre su relación deteriorada con sus hijas mayores, contando incluso cómo una de ellas se apareció en su casa con un camarógrafo mientras él estaba muy enfermo, un dato que ellas niegan.

En el libro, José Luis cuenta el difícil y triste proceso que vivió desde que le descubrieron una fibrosis pulmonar hasta que se sometió a un doble trasplante de pulmón.

Sin duda, esta iba a ser una #CharlaconLuz esperanzadora. Hablar con alguien a quien la vida le da una segunda oportunidad siempre es inspirador, y esa es la misión de mi canal de YouTube: ofrecer entrevistas entretenidas que te siembren fe y esperanza en el corazón. Que te hagan pensar que, si esa persona pudo, tú también vas a poder.

Estaba segura de que esta iba a ser una de ellas. Y más en medio de la pandemia, que ha llevado a tantas personas a pensar que ya no van a tener una segunda oportunidad.

A eso hay que agregarle que El Puma es un tipo elocuente y que siempre envía un gran mensaje.

A El Puma lo conocí hace más de 30 años cuando yo empezaba a trabajar con Cristina Saralegui. Los dos eran amigos y gracias a esa amistad, Cosmopolitan, la revista que dirigía Cristina y de la que yo era redactora, obtuvo la exclusiva del romance de José Luis y Carolina Pérez, una jovencita cubana, tímida y calmada de quien se enamoró después de separarse de la explosiva cantante Lila Morillo.

Carolina era la portada de Cosmopolitan y yo la encargada de entrevistarla. Tiempo después también fui la encargada de la entrevista exclusiva en la que Carolina y José Luis anunciaban que esperaban su primer bebé. Ese primer bebé fue Génesis Rodríguez, quien muchos años después llegó a "Despierta América" como toda una estrella de Hollywood a presentar una de sus películas. Recuerdo que ese día también estaba El Puma en el *show* y les conté cómo el tiempo ahora me ponía muchos años después a ser testigo otra vez de sus buenas noticias. Otra anécdota curiosa fue que cuando hice la entrevista con Carolina embarazada, mencioné que no me gustaban los elevadores y El Puma, muy atento, me acompañó en el elevador hasta el *lobby* del edificio cuando terminé la entrevista. Por supuesto no recuerdo absolutamente nada de aquel viaje en ese ascensor que debió durar segundos (aunque a mí siempre se me hacen eternos).

Durante mi época de directora de entretenimiento de TeleFutura, también tuve la oportunidad de trabajar con Liliana Rodríguez, hija del Puma, a quien conocí por la misma época que escribía la exclusiva del noviazgo de su padre con Carolina. Liliana es una mujer cariñosa, explosiva y efervescente que siempre me ha expresado el amor que siente por su padre y el deseo de hacer las paces con él.

La relación entre El Puma y sus hijas mayores sufrió desde que él se enamoró de Carolina por allá en los 80. Las chicas nunca aceptaron totalmente a la novia de su padre y los programas de chismes convirtieron el drama familiar en titulares. Y así pasó el tiempo hasta que El Puma se enfermó de una fibrosis pulmonar y ellas denunciaron públicamente que no podían ver a su padre gravemente enfermo y en espera de un doble trasplante de pulmón.

Pocos pensaron que José Luis sobreviviría. Y esa triste realidad hacía más dolorosa la separación de sus hijas.

La aparición de un donante hizo el milagro en su vida y El Puma volvió a nacer con sus dos pulmones nuevos. Mejor aún, volvió a cantar con sus pulmones prestados.

Todos celebramos el milagro.

Después de que El Puma se recuperó del doble trasplante lo invité a "Despierta América", a donde llegó como nuevo, cantó y encantó con sus anécdotas.

Admito que siempre he querido que padre e hijas se reconcilien. He oído las dos partes de la historia y siempre he pensado que ese momento debe llegar para ellos, sin cámaras ni testigos. Se los he hecho saber tanto al Puma como a su hija Liliana. Y despojándome de mi calidad de productora, les he aconsejado a ambos por separado que no involucren a la prensa en el proceso.

La noche de mi entrevista con José Luis para #CharlasconLuz yo estaba muy clara que debía preguntarle por esa reconciliación con sus hijas mayores. Nunca lo dudé. José Luis es un personaje público e incluso el tema era parte del libro que él estaba promoviendo. Siempre pienso que las personas que están viendo la entrevista pueden estar viviendo una situación similar en sus vidas y los va a ayudar mucho saber que no están solos.

Esa mañana El Puma había estado en "Despierta América"

hablando con Raúl González y le había contado que la reconciliación con sus hijas estaba cada vez más cerca. Por eso en un momento durante la charla le dije:

"Me gustó que dijeras esta mañana que eso se va a arreglar. Y me gusta que haya esperanza. Lo que no me gusta es lo que pasa si mañana se mueren Liliana, Lilibeth (su otra hija) o Galilea (su única nieta) y no hubo tiempo de hacer esas paces".

Esa pregunta la formulé de esa manera porque siempre, desde que murió mi papá en el 2007, vivo mucho más consciente de que un día todo cambia sin planearlo, sin pensarlo, y entonces ya no hay tiempo para pedir perdón, para decir te amo, para preguntar por qué. Y nos quedamos con ese *hubiera* que como un cuchillo nos hiere el corazón y nos desangra.

Siempre repito que una de las promesas que me hice cuando cumplí 50 fue quedarme sin "hubieras". Quiero vivir mi vida sin nada que me apriete el alma. Sin remordimientos. Sin rencores. Dejarle saber a quienes me hirieron que me dolió lo que me hicieron y a los que herí, pedirles que me perdonen. Ya pasaron esos años en que dejaba bajo llave en mi cabeza todo lo que me dolía y me quedaba con las ganas de saber por qué algo había pasado o por qué no había pasado. Gracias a "Los 4 acuerdos" nunca más volví a asumir. Antes de leer ese maravilloso libro, perdía mucho tiempo armando miles de películas en mi cabeza y lo más triste es que ninguna era real. Y tal vez esa persona que me había herido ni cuenta se había dado de que lo hizo. De la misma forma, hoy también voy por la vida enfatizando lo positivo. Contándole a la gente cómo impacta en mi vida lo bueno que hace. Felicitando y admirando. Cuando alguien es feliz, se alegra de la felicidad del otro. Y eso me gusta reflejarlo en mis entrevistas. Por eso formulé la pregunta a El Puma usando la probabilidad de la muerte, que es lo único que tenemos seguro.

NOS VEMOS EN EL CIELO

José Luis no se asombró con la pregunta. Ni siquiera pensó mucho la respuesta. No hubo ninguna expresión en su cara de que le hubiera sorprendido o molestado. Con esa calma que lo caracteriza, respondió automáticamente:

"No pasa nada. Nos vemos en el cielo".

El ruido comenzó una semana después, el 16 de agosto. La periodista argentina Mandy Fridmann, una de las profesionales más temidas de la prensa hispana en Estados Unidos, publicó un artículo sobre estas declaraciones en El Diario NY y La Opinión de Los Ángeles, y a las pocas horas el mundo entero estaba reproduciendo la historia y publicando el momento en que le hice la pregunta al Puma.

La noticia le dio la vuelta al mundo.

Lo más sorprendente fue ver cómo el mismo día lo publicaron montones de programas de televisión en español en Estados Unidos, incluso de Telemundo, sin importar que yo perteneciera a las filas de Univision.

Tengo que reconocer que me sentí satisfecha como periodista de que la entrevista tuviera tanta repercusión. Como ser humano sentí, y sigo sintiendo, un dolorcito en el corazón porque la entrevista ocasionó muchas críticas hacia El Puma como padre.

Recuerdo que, al día siguiente, José Luis me llamó y con su sentido del humor acostumbrado me dijo:

"¿Viste el lío que armaste con tu pregunta?"

A lo que respondí:

"No. ¿Viste tú el lío que armaste con tu respuesta?"

Y en ese momento le expliqué que, desde que experimenté la muerte de mi papá, no me gusta aplazar nada. Que siempre trato de irme a dormir en paz. Que no me quedo con nada por dentro. Que si alguien me hiere se lo digo y si hiero también pido perdón. Y le conté una anécdota que viví con una amiga que siempre vivía peleando con su padre inválido y caprichoso hasta que un día le dije:

"La próxima vez que te haga enojar, imagínatelo en un ataúd. Piensa que lo estás velando, que estás en su funeral".

Tiempo después, mi amiga me escribió diciéndome:

"Nunca más pude pelear con mi papá. Cada vez que me *saca la piedra* me lo imagino en el ataúd y prefiero no armar broncas".

José Luis escuchó mi historia con atención y luego me explicó que, para él, la muerte no es el fin, como lo ven muchos, sino otro plano espiritual que comienza. Por eso su respuesta de "no pasa nada, nos vemos en el cielo" no tuvo en él el efecto que tuvo mundialmente. Si sus hijas mueren primero, él está seguro de que se las encontrará en el cielo.

Tengo que reconocer que cuando me dijo eso comprendí un poco su tranquilidad al responderme, y entendí también que su fe no es igual que la mía.

Siempre nos han enseñado que la muerte es un encuentro con Cristo y que pasamos a una vida mejor, pero eso no logra que yo deje de pensar que lo que nos esté haciendo daño en esta vida tenemos que resolverlo en esta misma vida. Guardar rencores y acumular resentimientos lo único que logra es quitarnos paz, y al menos en mi vida, la paz es indispensable a la hora de funcionar con energía positiva para alcanzar mis sueños.

Días después El Puma tomó la decisión de sacar de la nueva edición de su libro las páginas en las que hablaba de sus hijas. La declaración exclusiva la tuvo "Despierta América":

"Publiqué en mi libro '¿Para qué vivir?' vivencias no tan felices que sólo correspondían saber a mis hijas mayores y a mí. Por eso decidí sacar esas dos páginas de la próxima edición de mi libro.

A lo largo de mi vida siempre he querido mandar mensajes de paz y armonía.

Pido excusas a quienes haya herido o defraudado.

Mis hijas saben que siempre las voy a querer y a bendecir, por siempre".

Ojalá nos toque ver una reconciliación entre padre e hijas en esta vida. Sólo ellos saben su historia y quizás el mayor error que cometemos como público es juzgarlos. Atacar a alguien con adjetivos tan denigrantes nos convierte en seres tan miserables como creemos que es aquel al que atacamos. Y de eso no nos damos cuenta.

Un sicólogo venezolano publicó en su cuenta de Instagram que yo era una *hija de puta* por haberle hecho esa pregunta al Puma. Sí, con ese comentario me levanté un día y pensé en responderle públicamente, pero mi hija Dominique, que es mi mejor maestra, me pidió que no lo hiciera.

"Es su opinión, Mami. Déjalo así", me dijo Dominique y le hice caso.

La vida, que tiene a un gran productor ejecutivo que se llama Dios, me reencontró con Liliana Rodríguez, la hija del Puma, en la misa por el descanso eterno del padre de nuestro querido amigo Raúl González. Como una gran coincidencia divina, el sacerdote que ofició la misa nos recordó a todos ese día lluvioso en Miami que tenemos que ver la muerte desde la fe y pensar que es el paso a una vida mejor. Y no verla nunca, nunca, como el fin.

No lo comenté con nadie. Ni siquiera con Liliana, que se despidió de mí en la puerta de la iglesia muy cariñosamente y sin tocar el tema.

Ese día recordé de nuevo aquel controversial "nos vemos en el cielo" que pocos le entendieron al Puma.

SANANDO HERIDAS PARA QUE EL TIEMPO NO DEJE CICATRICES QUE HIERAN

El día que me casé, mi suegra sólo me dio un consejo: "Nunca se vayan a dormir peleados". En ese momento no me pareció nada del otro mundo. A pesar de haber sido una niña tímida, siempre he sido un poco "fosforito", me prendo fácilmente cuando veo algo injusto. En aquel momento, tal vez porque a los 24 años piensas que lo que más tienes en la vida es tiempo, no le presté mucha atención al consejo de mi suegra.

Después de 30 años de casada hoy no sólo lo sigo al pie de la letra con mi esposo, sino que lo aplico con toda mi familia.

El encierro hizo que tristemente muchas familias aumentaran sus diferencias. Por eso es siempre tan importante mantenerse activo y con la mente sana. Las peleas familiares incomodan, restan energía, roban tiempo y te envuelven en un manto de negatividad que tarde o temprano te va a pasar la cuenta. Hay que alejarse de las personas tóxicas, así sean parte de nuestra familia. Y sobre todo dejárselos saber. Y hay que tener siempre muy claro que esa actitud negativa y venenosa que hace muchas veces que las peleas comiencen tiene más que ver con la persona tóxica que contigo. Las personas con vidas miserables proyectarán eso mismo: rabia, resentimiento y destrucción. Y ninguno de nosotros somos culpables de eso. Los expertos aconsejan, primero que todo, que se le haga entender a esa persona que su manera de discutir está acabando con la paz de la familia, y todos juntos, unidos, deben remar hacia el mismo lado. Es aconsejable, además de respetar los horarios de cada miembro de la familia, que se creen momentos de juego o de diversión que liberen las tensiones.

Perdonar mejora la salud. Está comprobado. Según investigaciones, las personas que perdonan tienen un ritmo cardiaco más lento, la presión arterial más controlada, duermen mejor y tienen menos depresión y estrés que aquellas que no perdonan. Incluso se cree que padecen de menos problemas musculares y que tienen menos dolores de cabeza.

Cuando perdonamos y pedimos perdón, vivimos sin esas heridas abiertas que tarde o temprano nos pasan factura y nos dejan cicatrices que sangran. Sin esa paz que da el perdón no se puede vivir tranquilo y enfocado en lo que queremos lograr. Ese sentimiento de que algo no está resuelto te impedirá sentir que caminas con fuerza hacia adelante. Y piensa lo que sentirás cuando ya no haya tiempo para resolverlo.

Una investigación realizada por la Universidad de Cornell concluyó que cuando uno se hace mayor no se arrepiente de las cosas que hizo, sino de las que se quedó con ganas de hacer. De todos los sueños que pospuso. Otro estudio encargado por el sitio de estilo de vida Silversurfers para adultos mayores de 50 años arrojó que éstos se arrepienten de:

1. No haber viajado y conocido más lugares en el mundo.
2. No haber ahorrado suficiente.
3. No haberse casado con la persona adecuada.
4. No haberles dicho a sus padres lo importante que eran para ellos.
5. No haber pasado suficiente tiempo con sus hijos.
6. No haber aprendido a tocar un instrumento musical.
7. No haberse preocupado menos por el qué dirán.
8. No haberles hecho más preguntas a sus abuelos sobre sus vidas.

La muerte para muchos, incluyéndome, es un tema que asusta. Y asusta tanto que incluso nos vuelve irresponsables. No hacemos testamento, por ejemplo, por miedo a tratar el tema por un minuto y no pensamos en la posibilidad de dejar asegurada la vida de nuestros hijos o de quienes más amamos. A mí me sirvió entender que la muerte es algo seguro y que el hecho de no querer hablarlo no significa que no vaya a pasar. Cuando analizas lo parecidos que son los arrepentimientos de los moribundos, no queda duda de que en esta vida la mejor opción es luchar para no quedarnos con las ganas de nada y aprovechar el tiempo lo mejor posible.

El gerontólogo Karl Pillemer entrevistó a más de 1.000 ancianos para pedirles consejos para su libro "30 Lessons for Living", o "30 lecciones para vivir". Uno de los puntos en el que la mayoría coincidió es que hay que preocuparse menos por las cosas sobre las que uno no tiene control. Él cuenta que una de las entrevistadas le dijo que se preocupó mucho durante tres meses creyendo que la iban a despedir de su trabajo. Nunca la despidieron.

"Cómo me hubiera gustado ahora que me devolvieran esos tres meses", concluyó la señora.

#NOTEQUEDESCONLASGANAS

1. *"Quiero vivir mi vida sin nada que me apriete el alma. Sin remordimientos. Sin rencores. Dejarle saber a quienes me hirió que me dolió lo que me hicieron y a los que herí, pedirles que me perdonen. Ya pasaron esos años en que dejaba bajo llave en mi cabeza todo lo que me dolía y me quedaba con las ganas de saber por qué algo había pasado o por qué no había pasado".*

2. *"Cuando perdonamos y pedimos perdón, vivimos sin esas heridas abiertas que tarde o temprano nos pasan factura y nos dejan cicatrices que sangran".*

3. *"Una investigación realizada por la Universidad de Cornell concluyó que cuando uno se hace mayor no se arrepiente de las cosas que hizo, sino de las que se quedó con ganas de hacer".*

4. *"Guardar rencores y acumular resentimientos lo único que logra es quitarnos paz, y al menos en mi vida, la paz es indispensable a la hora de funcionar con energía positiva para alcanzar mis sueños".*

5. *"Cuando analizas lo parecidos que son los arrepentimientos de los moribundos, no queda duda de que en esta vida la mejor opción es luchar para no quedarnos con las ganas de nada y aprovechar el tiempo lo mejor posible".*

El ARTE no quedarte con ganas

6
EL IKIGAI ES LA CLAVE

"¿Qué es el tiempo? Si nadie me lo pregunta lo sé, pero si
tuviera que explicárselo a alguien
no sabría cómo hacerlo"

– San Agustín

El *ikigai* es un término japonés que se usa para referirse a los placeres y al sentido de la vida. La palabra se compone de *iki*, que significa vivir, y *gai,* que quiere decir razón. El ikigai es eso que le da sentido a tu vida. Durante mi cuarentena empecé a estudiarlo sin sospechar que iba a terminar escribiendo sobre esa filosofía de vida.

Escribir un libro sobre la importancia de ganarle al tiempo y no mencionar el *ikigai* sería imperdonable, porque cuando tenemos una razón de vivir es cuando entendemos la importancia de apreciar y usar bien el tiempo.

¿Qué le da sentido a tu vida?

¿Te has puesto a pensar cuál es la razón por la que vives?

Yo tengo muy claro que en la mía todo gira alrededor de servir y de mi familia. Si ellos están bien, todo lo demás siempre estará bien. En los momentos difíciles no hay mejor refugio que ellos.

Y no se crean que en esta familia mía hay perfección. Eso no existe en ninguna.

Aquí lo que existe es una serie de personalidades muy diferentes en la que todos encontramos lo que al otro le falta. Durante la pandemia, la cocina se convirtió en el sitio de encuentro. Allí creo que almorzamos más veces juntos que lo que habíamos almorzado el año anterior. De pronto nos encontramos padre, madre e hija hablando de las cosas que nos daban miedo y cómo lo combatíamos... Yo nunca había vivido en 30 años de matrimonio durante seis meses seguidos, con sus días y sus noches, junto a mi esposo. En realidad, nos permitimos conocernos mejor. Y salimos triunfantes.

Sentarnos los tres a ver los *Red Table Talks* de Gloria, Emily y Lili Estefan en Facebook Watch nos dio mucho tema de conversación y en casa armamos nuestra propia mesa redonda. Nos dijimos cosas que no conocíamos de nosotros. Por eso admiré profundamente la misión de esta serie que sin duda nos sirvió a todos para encontrar puntos de unión.

Y cuando les digo que el propósito que tengo muy claro en mi vida es servir, es porque en todo lo que hago siempre, siempre, me pregunto: ¿Y esto para qué y a quién le va a servir?

Ser periodista, autora y productora de televisión me permite hacerlo de muchas maneras. Por ejemplo, a mí me gusta entretener para que la gente se distraiga del problema, me encanta brindar esperanza, soy feliz sirviendo de puente para que la gente conozca historias de éxito, me ilusiona muchísimo hacer sueños realidad, me encanta conectar a las personas que pueden necesitarse o complementarse. Me apasiona investigar fórmulas que funcionen para vivir más felices y contarlas. Cada mañana me despierto con una nueva ilusión de lograr todo eso. Y lo tuve muchísimo más claro cuando cumplí 50 años. Fue como si mirara hacia adelante y viera que los 60 estaban muy, muy, cerquita y tal vez por eso me comprometí conmigo misma a que, a partir de ese momento, todo en mi vida iba a ser absolutamente real.

No iba a hablar con quien no quisiera hablar.

No iba a hacer nada con lo que mi corazón no estuviera de acuerdo.

No iba a decir que sí cuando la respuesta era no.

Tuve muy claro que detrás de todo lo que hiciera, el gran propósito siempre sería servir.

Sin saberlo, ahí empecé a entender que no iba a perder tiempo.

Pero volviendo a la sabiduría japonesa, el *ikigai* está ligado directamente con la longevidad de la gente. Para hacer su libro "Ikigai: los secretos del Japón para una vida larga y feliz", sus autores Héctor García y Francesc Miralles viajaron hasta el pueblo de Ogimi en Okinawa, que es donde vive la población más longeva del país. Allí se llegó a la conclusión, después de entrevistar a sus ancianos, que eso que los hace durar más es tener el *ikigai* muy claro en sus vidas.

Es levantarse por la mañana con ese propósito y seguir luchando diariamente por alcanzarlo.

En la sabiduría japonesa, por ejemplo, la gente deja de comer cuando siente que su estómago está un 80% lleno. No saben lo que es comer hasta colmarse porque eso trae largos procesos digestivos que desgastan las células. Otra de las cosas que hacen es servir a la comunidad.

El autor Ken Mogi, quien fue el primer conferencista de TED de Japón y además es científico, resumió en su libro "Ikigai esencial" la lista de sus pilares:

1. Empezar con humildad.
2. Renunciar al ego.
3. Armonía y sostenibilidad.
4. El placer de los detalles.
5. Ser consciente del momento presente. Del aquí y del ahora.

¿CÓMO SE VIVE HASTA LOS 100 AÑOS?

Junko Takahashi es una escritora que se dedicó a investigar "El método japonés para vivir 100 años", así se llama su libro, y descubrió que los japoneses no sólo son más longevos, sino que aprenden a disfrutar más el tiempo. Curiosamente no se retiran a los 60 sino a los 90, hacen ejercicio aunque sean muy viejitos, y visitan mensualmente al médico para prevenir enfermedades.

"Los centenarios son francos, resueltos, escrupulosos, sociales, curiosos, liberales y tienen un espíritu que les impide rendirse", asegura Junko, quien de acuerdo con sus investigaciones aconseja esto para vivir más años:

1. Ser constante. La constancia es la clave para mantenerte sano.
2. Trazarte una meta sencilla. Cuando la consigas, busca otra.
3. Ejercitar tu cerebro leyendo.
4. Empezar hoy a hacer ejercicio. Lo que sea.
5. Elegir una actividad que te guste y practicarla.

Una de las cosas que más me preocupa escuchar de otra persona es que no sepa cuál es su propósito. Y me preocupa no porque no lo haya encontrado, sino porque pueda sentirse mal pensando que siempre le aconsejan buscar su pasión... y no la encuentra. He conocido muchas personas que no saben cuál es esa pasión o ese propósito y me preguntan mucho cómo es que uno lo descubre.

En mi libro "La mujer de mis sueños" traté de responder esa pregunta con otras preguntas. ¿Para qué te busca la gente? ¿Qué te inspira? ¿Qué hace que se te olvide el reloj? ¿Qué te hace sentir útil? Sin embargo, hay más cosas que te pueden ayudar a descubrir ese propósito. Según el ikigai, lo que tú amas, para lo que eres realmente bueno, lo que el mundo necesita y por lo que tú puedes cobrar son puntos importantes para entender mejor tu propósito.

Si sientes pasión por muchas cosas, trata de concentrarte en las tres que más te entusiasmen y toma acción. No le des muchas vueltas al asunto, porque entonces te vas a quedar en esa etapa de pensar y pensar y de ahí no vas a pasar. Por lo tanto, no va a pasar absolutamente nada con esa pasión. Una vez leí en el *New York Times* un artículo muy completo en el que se explicaba precisamente que la pasión no era suficiente para soportar todos los retos que nos pone la vida. Y que es muy importante nutrir la mente para todas las puertas que se nos cierran en el camino y aceptar como enseñanza de vida todos esos "No" que recibimos.

EL ARTE DE DESATORARTE

Otra cosa curiosa que hace que no te atrevas a luchar por tus sueños es el miedo a que no salgan las cosas como tú te las imaginas. Y te entiendo perfectamente porque yo sé lo que es soñar con algo todo el tiempo intensamente. Endiosamos tanto ese proyecto, lo vemos tan grande e importante y le damos tantas vueltas, que pensamos que el solo hecho de empezar a hacerlo realidad va a lograr que se desmorone. Y no es así. Ese miedo a que algo con lo que soñamos no salga bien es absolutamente normal, pero la única manera de saber si funcionará o no es intentándolo.

Como dice uno de mis maestros de vida, Eugenio Derbez, tienes que aprender el arte de desatorarte. En la vida no te puedes quedar atorado en un tema. Una cosa es ser necio y otra persistente. El persistente es el que busca un nuevo camino. El necio es el que sigue tropezándose con la misma pared una y otra vez sin pensar que al lado hay una ventana por donde colarse. Derbez me enseñó, por ejemplo, que no hay que pedir trabajo sino ofrecerlo. Cuando él empezaba su carrera en México, iba a Televisa todos los días a pedir trabajo y nadie lo tomaba en serio. De hecho, un día se encontró en un tinaco de basura de esa empresa las mismas fotos que él le entregó a los productores buscando trabajo. Todo cambió cuando dejó de sentirse como víctima porque no le daban empleo y en vez de irse a su casa a llorar sus rechazos, se juntó con unos amigos y empezó a desarrollar un *show* llamado "Al derecho y al Derbez" que un día ofreció a Televisa y se lo aceptaron.

A mí esas historias me encantan porque ofrecen una gran lección de vida. Eugenio siempre busca como desatorarse y eso lo debes tener en cuenta tú cuando te enfrasques en un problema o te encierres en el mismo círculo del que no puedas salir. No seas como un hámster dándole vueltas siempre a la misma ruedita, piensa siempre en una nueva manera de hacer las cosas. También es importante rodearte de personas que tengan intereses similares a los tuyos. Esas personas te van a alimentar y, en vez de chuparte tu buena energía, te van a regalar la de ellos, te van a enseñar y te van a hacer crecer como ser humano.

DIME LA VERDAD: ¿CUÁNTO TIEMPO PASAS QUEJÁNDOTE?

Una de esas personas que tuve el inmenso gusto de conocer durante la pandemia, y que me hizo pensar y crecer como ser humano, fue Daniela Álvarez, una joven ex Miss Colombia y empresaria barranquillera que encabezó titulares cuando tuvo que ser hospitalizada de emergencia para que le extirparan una masa en el abdomen. La masa gracias a Dios fue benigna. Sin embargo, durante la operación Daniela sufrió una isquemia y posteriormente tuvieron que amputarle la pierna izquierda.

Su caso me sorprendió tristemente porque siempre la veía bailando con mucha alegría en sus redes sociales y de un día para el otro la escuché en un video contando lo que estaba pasando. El caso fue noticia en todo el mundo. Creo que todos pensamos sin decirlo que Daniela podría haber sido cualquiera de nosotros.

La vida le cambió de la noche a la mañana en medio de la pandemia y sin embargo ella, envuelta en una paz que sólo puede dar Dios, fue poniéndonos al día de su estado siempre con una sonrisa en el rostro. Un par de meses después hablé con ella y ha sido, sin lugar a dudas, una de las entrevistas que más ha llenado mi corazón de fe.

"Inspiré a tanta gente sin pensarlo", me contó con esa sonrisa que nada logra borrar de su cara bonita. "Yo quería contarles a los que me seguían en las redes que me iban a amputar la pierna. Cuando desperté de la operación y vi los mensajes, esos seguidores me ayudaron tanto. Yo desde chiquita a todos los problemas siempre les he puesto una sonrisa. Si la profesora me regañaba, sonreía. Una vez le choqué el carro a mi mamá y me bajé del carro sonriendo. Trato de que nada me robe la alegría. Incluso ahora le doy gracias a Dios porque ÉL me da toda la fortaleza".

Daniela, te convertiste en nuestra heroína durante la pandemia. Nos haces ver que todo es posible. ¿Cuál es tu sueño más grande y qué estás haciendo para cumplirlo?
"El sueño más grande que he tenido toda mi vida es ser mamá. Y también me sueño siendo una gran líder para todas las personas que necesiten una fuerte sacudida. La vida hay que vivirla feliz aunque tengamos problemas, porque problemas siempre van a haber. Quiero tener las herramientas para que entiendan que la vida tiene momentos maravillosos, y momentos de aprendizaje que son los dolorosos".

Los seres humanos vivimos planeando la vida y a veces la vida nos cambia los planes en un segundo. ¿Qué le dirías a esas personas que se traban por cosas aparentemente sin importancia?
"Les diría que desde muy chiquitos tenemos que llenarnos de herramientas emocionales y de inteligencia emocional porque tenemos que estar dispuestos a asumir y sobrellevar

los problemas. Desde algo laboral, hasta una pérdida de algún ser querido. Me pasó a mí que yo siempre iba por todos lados con una estrella que me acompañaba y ganaba aquí, y ganaba allá, y todo lo que quería lo conseguía. Y de repente la vida me da un *twist* (giro) y me falta un pedazo de mi cuerpo y me faltará por el resto de mi vida. No tendré la vida tan fácil como los que están completicos, pero eso me hace más valiente, más resiliente".

Tú deberías crear el *Método Daniela Alvarez para Resolver Problemas*. Veo cómo analizas tu situación y dices: "Es que era mi pierna o la vida y yo elegí la vida". Otros nos hubiéramos quedado trabados en la pierna que perdimos.
"La gente no entiende que yo pasé por un mes y medio de mucho dolor en el cuerpo. El médico me explicó que si seguíamos esperando me podían amputar la pierna cada vez más arriba. Empecé a llorar y a llorar con una sicóloga al lado y de pronto me dije: *O hago de esto un drama para mi vida y para mi familia, o confío en Dios, que siempre he confiado en ÉL en las buenas y en las malas, y sigo para adelante.* Dije que no había más nada que decir, que vinieran a buscarme y me amputaran la pierna".

¿Cómo fue esa última conversación con Dios antes que te durmiera la anestesia?
"Fue con la Virgen. Le dije: *Virgencita, guárdame, cuídame, ayúdame y que sea lo que tú quieras.* Yo tuve fe de que ocurriría un milagro hasta que entré al quirófano. Hicimos muchas oraciones, rezábamos por un milagro del pie. Yo pensaba: *Tal vez cuando el cirujano corte, mi pie se salve.* Cuando me desperté, la amputación había sido mucho más arriba de lo que pensé. Agradecí estar viva y entendí que el milagro no era mi pie, era yo estar allí pudiendo respirar".

El milagro de Daniela también puede ser la manera en que ella nos hace hoy replantear nuestra vida al escucharla o leerla. Cuando uno la escucha agradeciendo a Dios por haber tenido sus dos piernas durante 32 años, uno no sabe si pedir perdón o esconderse de la vergüenza con Dios, con Daniela y con la vida por todas las veces que uno se queja por cosas sin importancia.

Y ahora te pregunto:

¿Cuántas veces al día te quejas?

¿Cuánto tiempo de tu día lo inviertes en quejarte?

Quejarse también es un hábito, y hace que te conviertas en una persona amargada y llena de pensamientos negativos. El Universo escucha siempre lo que dices y te va convirtiendo en eso mismo que repites. Si te quejas de tu mala suerte, de que nadie te quiere, de que tu trabajo es horrible, de que nadie se da cuenta de tu talento, de que nunca tienes dinero, esas mismas afirmaciones construirán tu futuro.

Te propongo que desde hoy mismo cada vez que te quejes de tus desgracias, des gracias. Así como Daniela en vez de quejarse porque hoy le falta una pierna da gracias porque durante 32 años tuvo dos, así mismo tú envíale al Universo el agradecimiento por la lección que te está mandando en ese preciso momento.

En enero del 2020 comencé un diario de agradecimiento que guardo en mi mesita de noche y en el que escribo todo lo que tengo que agradecer, desde que mi hija sacó buena nota en un examen, o que tengo una almohada y una sábana, hasta que aparecieron mis gafas que llevaban tres días perdidas. Releer lo que escribo con mi letra de médico no sólo repasa lo bella que es la vida, sino que me recuerda todos los días todas mis bendiciones.

No desperdicies tu tiempo valioso en maldecir tus derrotas cuando puedes, con agradecimiento, construir tus victorias.

#NOTEQUEDESCONLASGANAS

1. *"Te propongo que desde hoy mismo cada vez que te quejes de tus desgracias, des gracias".*

2. *"No seas como un hámster dándole vueltas siempre a la misma ruedita, piensa siempre en una nueva manera de hacer las cosas".*

3. *"El ikigai es un término japonés que se usa para referirse a los placeres y al sentido de la vida. La palabra se compone de iki, que significa vivir, y gai, que quiere decir razón. El ikigai es eso que le da sentido a tu vida".*

4. *"Si sientes pasión por muchas cosas, trata de concentrarte en las tres que más te entusiasmen y toma acción. No le des muchas vueltas al asunto, porque entonces te vas a quedar en esa etapa de pensar y pensar y de ahí no vas a pasar".*

5. *"No desperdicies tu tiempo valioso en maldecir tus derrotas cuando puedes, con agradecimiento, construir tus victorias".*

7
LAS TRAMPAS DEL TIEMPO

"Si alguien está sentado hoy en la sombra es porque alguien más plantó un árbol hace mucho tiempo"

– Warren Buffett

Cuando estudiaba en la universidad, decidí tomar un curso de fotografía que me dejó una gran lección que nunca he olvidado. Recuerdo la primera vez que me metí en un cuarto oscuro para ver cómo se revelaban las fotos y el dueño del laboratorio me dijo:

"Hoy vas a aprender lo que es realmente un minuto".

Tenía razón. Lo que antes me parecía que pasaba en un abrir y cerrar de ojos se convirtió ahí adentro, con la luz apagada, en una eternidad.

El tiempo es un tramposo. Hay gente que me dice que el 2020 fue el año más largo de sus vidas. Y otras que me cuentan que todo se les fue tan rápido que de marzo pasaron a diciembre. Si te has puesto a pensar por qué a medida que pasa el tiempo todo parece ir más rápido, es porque las experiencias ya son conocidas. Si no, cómo te explicas que cuando éramos niños las semanas duraban mucho más que ahora. De unas vacaciones de verano a las de Navidad pasaba una eternidad. Lo que sucedía es que, en aquellos años, estábamos aprendiendo y cada experiencia era nueva. Y ni qué hablar de las horas que pasábamos en el colegio. Recuerdo que mis clases empezaban a las 7:30 am y terminaban a la 1:30 pm y a mí me parecía que transcurrían como 24 horas desde que salía de mi casa hasta que regresaba.

Las experiencias nuevas tienden a durar más en nuestro cerebro.

En "Despierta América", que dura cuatro horas, solemos bromear que en esas cuatro horas nos daría tiempo de volar de Miami a Nueva York, llegar al hotel y desayunar.

Hay más datos curiosos. Dicen que pasamos 500 días de nuestra vida esperando nuestro turno, y eso aplica a todas las filas que tenemos que hacer. Yo sinceramente pienso que ese número depende del país donde vivas y, por supuesto, la época que te tocó vivir. El solo hecho de pensar que más de un año de mi vida lo he pasado parada en una fila me altera un poco.

Te cuento otro dato que te hará pensar. Dicen que un bebé puede reírse 300 veces al día y que un adulto solamente lo hace 25 veces. En ese estudio hay algo importante que rescatar.

Cuando uno escucha a la venezolana Erika de la Vega en su monólogo "Tú no sabes quién soy yo", uno se puede reír igual que un niño más de 300 veces. A Erika la conocí gracias a que un día me invitó a ser parte de tu podcast "En Defensa Propia". Recuerdo que acepté ir a la entrevista un viernes y ese viernes, después de una semana agotadora, lo único que quería era irme directo a mi casa a acostarme a dormir. Sin embargo, manejé hasta el Brickell City Center y le ordené a mi mente que estuviéramos totalmente presentes en esa entrevista y que nos la disfrutáramos. La intención se cumplió. La entrevista fue absolutamente inspiradora gracias a las preguntas de Erika y desde el día que el podcast salió al aire, no he dejado de recibir mensajes bonitos sobre esa conversación.

No hubo una ciudad a donde yo llegara en el 2019 donde alguien no me mencionara esa entrevista con Erika de la Vega. El #teconocígraciasaErika es uno de los *hashtags* de mi vida. Cada vez que alguien me lo dice, recuerdo aquellas ganas que tenía de irme a dormir ese viernes. Gracias a Dios no le hice caso a la flojera. Estoy convencida de que el tiempo te pone trampas que luego te abren puertas.

La historia de Erika me encanta porque ella era una primera figura de la televisión y la radio en Venezuela y, como todos los venezolanos que salen de su país, tuvo que dejar el ego allá y enfrentarse a una nueva vida en Estados Unidos. Al llegar tuvo su propio programa de televisión, pero no se sentía feliz. Lo próximo fue caer en una depresión.

"De lunes a miércoles yo no me quería salir de la cama. De jueves a domingo iba al teatro a presentar una obra que se llama 'Puras cosas maravillosas' en la que lloraba y terminaba conectándome tanto con el público por mi propia tristeza. Y yo no soy así, yo soy una tipa inquieta que siempre está buscando qué más puedo hacer, cómo llenar el tiempo, siempre pienso que tiene que haber algo más. Pero yo en ese momento estaba deprimida, me había quedado sin *el algo más*. Y pensaba: *Si tú eres lo que haces y no haces lo que eres, entonces ¿quién eres?* No podía creer que yo solamente era un programa de televisión o de radio. En la televisión no fui feliz. Empecé a hacer teatro porque yo no me quería quedar haciendo televisión. En Venezuela todo fue ascendente, a su debido momento. Nadie me regaló nada".

Y de pronto en Estados Unidos ocurre ese volver a empezar que nos sabemos de memoria todos los inmigrantes.

"Una amiga me recomendó ir al siquiatra, quien me mandó una pastillita que era estimulante, y yo parecía *Cruella de Vil* manejando. No volví al siquiatra y decidí ir donde un sicólogo cognitivo que trata sólo la situación y no te hace ir al pasado. Y ahí me di cuenta de que había metido el ego mucho tiempo a mi vida y volví a quererme. Y entonces decidí que iba a hablar de mis momentos bajos con mujeres reconocidas o no, e iba a hablar con ellas también sobre sus momentos bajos. Y así nace mi podcast 'En Defensa Propia'".

La necesidad de Erika la llevó a crear lo que también era la necesidad de muchas. Y le fue tan bien que Oprah Winfrey escogió "En Defensa Propia" como uno de los mejores podcasts en español. Erika recuerda que como llevaba tantos meses sin una validación se volvió loca de alegría al enterarse de la buena nueva.

"Un amigo me lo contó por Instagram. Me mandó la captura de pantalla de la noticia. Yo no lo sabía y recuerdo que me estaba yendo al quiropráctico y cuando lo vi me puse a bailar de la emoción. El podcast me empuja a seguir aprendiendo. Si yo me estanco, se estanca él".

Erika es muy competitiva con ella misma y súper exigente. Tanto, que cuando le viene a la mente una idea, inmediatamente empieza a desarrollarla para que no se la gane alguien más:

"A veces me encuentro peleando conmigo misma en la computadora a las 2 de la mañana y después me digo: *¿Con quién peleas si esto mismo lo inventaste tú?*".

Cada éxito de Erika viene antecedido de una gran lección. Antes de que las entradas a su *stand-up comedy* "Tú no sabes quién soy yo" se agotaran en Europa y en Estados Unidos, Erika se probó a sí misma durante seis meses todos los fines de semana en un teatro pequeño de Miami. Le dijeron que su humor no lo iban a entender, que tenía que cambiar los chistes...

Nunca se dio por vencida.

"Me sentí muy bien viendo esas salas llenas en Europa porque yo insistí. La comedia es muy de hombres y muchas veces me dijeron que no iba a funcionar. Y llevo cuatro años haciéndola y he ido dos veces de gira a Europa... y todo gracias a que yo insistí. Insistir es la clave. Yo ahí canto, bailo, recito, hago zumba, me tiro en el piso, no tengo freno... Uno lo va aprendiendo. Yo no sabía hacer esto. Tengo que escribir uno nuevo y me da terror. Yo parto de un lugar de *Rétame pa' que veas que yo lo hago*. Eso a mí me da gasolina".

¿Te has quedado con ganas de algo en la vida? ¿Y cómo vas a calmar esas ganas?

"Me quedan ganas de seguir tocando guitarra. Lo hice por muchos años y la dejé porque me interesaron otras cosas y como todo músculo que no se trabaja, casi todo se me olvidó y perdí destreza. Para calmar esas ganas hace poco compré una nueva guitarra. Sólo me falta el profesor y el tiempo para comenzar de nuevo. Cada vez más cerca".

¿Qué te enseñó la pandemia sobre el manejo del tiempo?

"La pandemia me enseñó a defender mis espacios de tiempo. No me había dado cuenta del tiempo que le dedicamos a los proyectos de otros mientras abandonamos los nuestros. Me enseñó a bloquear tiempos para mí porque, como todo emprendedor, si tú no le metes cabeza y corazón a tus proyectos, nada pasa. Me enseñó a *eat the frog*, o comerme el sapo. Ese concepto de salir del trabajo más pesado y aburrido, el que más te cueste de primero en la mañana. Eso me ayuda a evitar el procrastinar (cosa en la que me he vuelto una experta) y me permite tener libertad mental para seguir trabajando con sensación de progreso".

¿Qué te funciona para que el tiempo te rinda?

"Me encanta hacer listas de las cosas que tengo que hacer en orden de importancia. Las hago casi siempre en la noche para saber en la mañana a dónde voy. Uno de mis enemigos es la falta de rutina, por eso trato de organizarme y mentalizarme en la noche. Trato de poner en la agenda dos colaboraciones semanales con otros proyectos. Con las reuniones de Zoom, tengo varios cuadernos donde voy anotando lo más importante de cada una. Por ejemplo, quiénes estaban en la reunión, de qué hablamos y las acciones que debo realizar para avanzar. Anoto frases importantes, fechas. Así todo queda en un mismo sitio. El único consejo que puedo darles es que no saquen ese cuaderno de sus oficinas. Hace un par de sábados me puse a trabajar al aire libre. No me di cuenta de que había dejado el bendito cuaderno en la mesa y llovió. No quedó nada porque encima escribo con marcadores... Confieso que lloré un poquito".

¿Cómo será la Erika post-COVID?

"Seré una persona que defenderá el valioso espacio conmigo misma. Sin él es imposible conectar con mis sueños y mis emociones. Quiero pensar que seré una persona con más herramientas para enfrentar las crisis que se presentan en la vida. Soy y seré más agradecida con lo que tengo y seguiré trabajando en no aferrarme a lo que pudo ser, sino darle la cara a la posibilidad que ofrece el presente".

A tus nietos les dirás: "Yo viví el COVID-19 en el 2020 y..."
"¡Sobreviví al *homeschooling!*"

EL TITULAR QUE NADIE CREE DESPUÉS DE CONOCER A CAMILO Y EVALUNA

He escuchado tantas veces a los famosos diciendo "ahora no tengo tiempo para el amor", que ya ese titular perdió fuerza y credibilidad para mí. Empezando porque pensar que el amor te va a robar tiempo ya es un gran error.

El amor bien correspondido suma horas de felicidad a la vida, inspira, da fuerza, multiplica las ganas de crear, lo vuelve a uno más positivo, lo hace levantar con esperanza y convierte en uno el sueño de dos.

Imagínense no poder tener tiempo para lograr todo eso. Definitivamente, siempre me ha resultado muy difícil entenderlo.

El mejor ejemplo de lo que el amor produce en el ser humano nos lo da la pareja joven más querida del momento del mundo de la música latina: Evaluna Montaner y Camilo.

Su historia me sirvió de inspiración durante mis cuarentenas obligadas.

Recuerdo que viví con ellos toda su luna de miel repasando sus maravillosos videos en Bora Bora. Seguirlos a través de las redes sociales es contagiarse de esa locura maravillosa. Su realidad traviesa, divertida, real y sin poses es un recordatorio para los mayores de lo que no debemos permitir que se nos escape de la vida, y para los jóvenes de lo que realmente deben ser los excesos. Porque en esta pareja siempre hay alegría, creatividad, comprensión y ganas de echar para adelante juntos. De hecho, el mismo Camilo reconoce que nunca va a dar por sentado el privilegio de estar enamorado de Evaluna. Sobre todo en medio de una sociedad donde hay un montón de gente fingiendo que está enamorada sin estarlo.

A lo largo de mis 35 años de carrera profesional, he visto empezar a casi todos los ídolos del momento. Por los programas en los que he trabajado han pasado muchos desconocidos que hoy son los más famosos. En el 2019 recuerdo que tuvimos a Camilo en vivo en la ceremonia del Premio Juventud y pocos sabían quién era. De pronto lanzó "Tutu" con Pedro Capó y lo próximo fue Shakira en sus redes cantando esa canción y de ahí, ella, Camilo y Pedro interpretándola juntos en la Copa Davis. El éxito.

Los seguidores del colombiano del bigote a lo Dalí y uñas pintadas con punticos negros se convirtieron en su "tribu". Millones y millones lo siguen por todas partes y lo apoyan. Y durante el 2020, el año en que se casó con Evaluna, Camilo arrasó con los premios y demostró que a la creatividad no se le puede dar pausa.

Al principio de este libro te pregunté qué te gustaría contarle a tus nietos sobre lo que hiciste en el 2020. Camilo se va a dar el lujo de contarles que ese año despegó con la fuerza de un cohete, consiguió premios y no perdió ni un minuto para seguir creando éxitos. Una de las cosas que más me gusta de su historia es que, aunque empezó a cantar desde que era un niño y en Colombia se dio a conocer en el *reality* "Factor Xs", de adulto pensaba que iba a ser solamente un compositor.

Sin embargo, sintió la necesidad de atreverse.

"Yo siempre tuve la certeza de que la música iba a estar en mi vida para siempre, pero pensaba que yo iba a estar en la oscuridad de un estudio, tras bambalinas, en piyama, levantándome a la hora que yo quisiera y yéndome al estudio a la hora que yo quisiera. Todo eso como compositor", explica Camilo cuando le pregunto cómo dio el paso a cantante.

"Y de pronto comencé a escribir esas ideas que tenían mi nombre impreso, que eran mías. Comencé a sentir, desde la incomodidad y la responsabilidad, aquello de *amárrate los pantalones que es tu turno*. No desde el deseo de *bueno, ahora yo quiero que esas placas sean mías*".

Camilo se atrevió a brillar solo. Hoy conserva la capacidad de asombrarse con todo lo que ha sido capaz de conseguir en tiempos de una crisis mundial que no logró detenerlo.

"Cuando yo estaba chiquito y yo oía grandes noticias, como que aquel tipo se ganó la lotería, yo pensaba que esas cosas le pasaban a alguien más, no a uno. Es increíble cuando oigo a otros cantantes cantando mis canciones. O cuando veo a alguien escuchando mis canciones y cantándolas".

¿Cómo organizas tu tiempo para poder ser tan productivo?
"Yo lo único que hago siempre es sacar tiempo. Me levanto a las 6 de la mañana todos los días. De 6 a 8 de la mañana me siento en el sofá a despertar el tiempo orando, pidiendo, visualizando. La visión nace desde el espíritu. Los sueños y los deseos nacen desde la ambición y la mente. Y la planeación nace desde la ilusión de que uno está en control de lograr lo que está visualizando. Yo por la mañana le digo a Dios: *Suéltame cuál es tu visión en mi vida y permíteme perseguirla*. Y siempre le digo a Dios: *Tus planes, no los míos*. Los planes de uno son frágiles y uno nunca está en control.

Si algo aprendimos con la cuarentena es que no tenemos control de nada. Los creativos estamos todo el tiempo en modo creación. Y a mí me llega una gran culpa cuando no estoy creando. Y en el oficio creativo dejar de crear es tan importante como crear. Para poder crear uno tiene que dejar de crear. Cuando yo quiero descansar 5 minutos, mi cuerpo me dice: *No, actívate, hay mucho para hacer*. Evaluna es todo lo opuesto porque ella vive desde un lugar de conciencia y meditación. Y me está enseñando a descansar. A salir de mi obsesión con la productividad".

A sus 26 años, Camilo es un gran ejemplo del compromiso que cada uno debe hacer consigo mismo a la hora de invertir su tiempo en materializar sus sueños.

¿Y POR QUÉ DARLE TIEMPO A QUIEN ACABA CON TU VIDA?

Cuando decidí crear el contenido que tendría este libro, lo primero que se me vino a la cabeza fue que tenía que servirle a esas personas que se escudan siempre en el *no tengo tiempo* para lograr sus sueños. ¿Pero qué pasa cuando confundimos ese sueño y el tiempo que dedicamos termina siendo tiempo perdido?

Hay quienes, por no tomar decisiones a tiempo, se quedan toda la vida al lado de alguien a quien no aman. Y tristemente acumulan más razones para quedarse con esa persona que para separarse de ella. Fíjense bien cómo sus razones parecen más excusas: el miedo a no tener una independencia económica, el temor al qué dirán, el pánico a comenzar de nuevo sol@s...

Y voy a mencionar otro caso de pérdida de tiempo que quizás sea el más doloroso de pronunciar. Hay personas que no se quieren separar de otras que las agreden simplemente porque las aman con toda su alma y no les importa dedicarles su vida entera. Y ese amor desmedido hace que nunca pierdan la esperanza de que un día esa persona cambie y la relación tenga el final feliz que siempre habían soñado. Las reconciliaciones después de las peleas siempre se convierten en ese momento de felicidad que borra millones de lágrimas derramadas. Lo triste de esta situación es que eso nunca va a ocurrir porque la persona que nos hace sufrir con infidelidades y mentiras simplemente no nos quiere y seguirá descuidándonos siempre. Entonces, es en ese momento en el que tenemos que querernos nosotros más y dejarlo todo. Va a ser muy doloroso, pero no más de lo que ya ha sido. Y la buena noticia es que pasará y, si trabajas en entender que simplemente esa persona no te merece y no te quiere, estoy segura de que la vida después te devolverá la felicidad que te quedó debiendo.

Hay amores que cambian con la circunstancia que les toca vivir. La ansiedad sumada a la incertidumbre que generó la pandemia detonó serios problemas entre parejas. La convivencia a tiempo completo, aunada al estrés que le causó a muchas mamás tener a los niños estudiando en la casa, acumuló tensiones que encendieron las alarmas.

En estos tiempos de encierro el amor dejó ver los números rojos entre las parejas y se quedó debiendo mucha comprensión, tolerancia y respeto mutuos. El resultado fue un alto índice de violencia doméstica.

Y ahí llegamos a otros casos más tristes aún que no tienen que ver con la pandemia. Son las mujeres que viven desde hace años con sus parejas por miedo a perder la vida si se alejan de ellas. Son aquellas que viven con el horrible fantasma del abuso y aguantan y aguantan poniéndose metas que nunca cumplen: *lo dejo cuando crezcan los niños, cuando me consiga un buen trabajo, cuando ahorre suficiente dinero, cuando...* Y ese *cuando* nunca llega. El tiempo sigue pasando sin que haya ningún cambio en sus vidas, corriendo el peligro de que el único cambio sea la muerte.

Y te voy a hablar en este preciso instante a ti que estás leyendo esto. Nadie te está juzgando, sólo quiero que pienses que necesitas ayuda. Si se te ha pasado el tiempo sin la esperanza de cambiar de vida, quiero decirte que aún estás a tiempo. Quizás l@ ames más que a nada en el mundo y todos los días después de que te maltrata tú conservas la esperanza de que va a cambiar y por fin van a ser felices. Tu pareja necesita ayuda para salir de ese patrón de abuso en el que vive, y tú no l@ vas a poder ayudar. Tú sólo vas a poder ayudarte a ti mism@ alejándote.

Solamente tú puedes salir de ese hueco donde te hundes cada día más. No te sientas sol@, hay muchas personas allá afuera que te pueden ayudar. Lo primero que puedes hacer es buscar el número de una institución local que brinde ayuda a víctimas de violencia doméstica. Mientras sigas callad@ y aguantando, lo único que vas a lograr es que el problema siga creciendo. ¿Por qué darle tu tiempo a alguien que quiere acabar con tu vida?

Salir de esa pesadilla que vives despiert@ no va a ser fácil, pero puedes estar segur@ de que permanecer en ella siempre será mucho más difícil y doloroso. Si sobrevives, llegarás a la vejez arrepentid@ de no haber pedido ayuda.

¿Quién puede ayudarte? Empieza por armar un plan de seguridad.

Tu médico o el médico de tus hijos. Aprovecha tus visitas y cuéntale tu historia.

Si trabajas en una empresa, visita el departamento de Recursos Humanos y pide ayuda.

Cuéntale a alguien de la escuela de tus hijos. Es importante que crees un equipo de gente que te pueda ayudar a salir de ese mundo donde tú no debes seguir viviendo. Un mundo en que has puesto tu tiempo al servicio de alguien que no lo merece y que está destruyendo tu vida.

Cuando pase el tiempo y mires atrás, te darás cuenta de que el mejor regalo que le puedes dar a tu vida es la posibilidad de que sea valorada. Que no se te olvide nunca: No importa lo que haya pasado en tu vida, tú siempre vas a merecer ser feliz

#NOTEQUEDESCONLASGANAS

1. *"Estoy convencida de que el tiempo te pone trampas que luego te abren puertas".*

2. *"Si tú eres lo que haces y no haces lo que eres, entonces ¿quién eres?".*

3. *"Yo por la mañana le digo a Dios: Suéltame cuál es tu visión en mi vida y permíteme perseguirla. Y siempre le digo a Dios: Tus planes, no los míos".*

4. *"Dicen que pasamos 500 días de nuestra vida esperando nuestro turno, y eso aplica a todas las filas que tenemos que hacer".*

5. *"Dicen que un bebé puede reírse 300 veces al día y que un adulto solamente lo hace 25 veces. En ese estudio hay algo que rescatar".*

El ARTE no quedarte con ganas

8
ESA GENTE QUE ESTABA DESTINADA A APARECER

"A veces nunca sabrás el valor de un momento, hasta que se convierta en recuerdo"

– Dr. Seuss

"Ya me puedo ir de aquí. Yo sólo vine a conocerte", le dije a Victoria Alonso en la puerta del Coral Gables Country Club el día del almuerzo para las "25 mujeres más poderosas" de People en Español.

La lista de ese año, el 2019, me llegaba al corazón porque a cada una de las elegidas las definían con una palabra. A mí me tocó ser *la escritora*, y eso era como la confirmación del sueño cumplido. Lo cierto es que la primera vez que People en Español me hizo el honor de incluirme en esa lista, yo no fui al almuerzo de celebración. En esa época me daba vergüenza celebrar mis logros. Así que en esta ocasión pensé disfrutármelo con mis amigas y me hacía muchísima ilusión conocer a una mujer cuyo nombre es muy apropiado para su vida, Victoria, a quien llaman la latina más poderosa de Hollywood y quien es la vicepresidenta ejecutiva de producción de Marvel Studios y responsable de éxitos millonarios de taquilla como *"Captain America", "Avengers"* y *"Captain Marvel"*, entre muchos otros.

El hecho de que esta argentina con una vida de película fuera la capitana de estos *superhéroes* me hacía sentir sumamente orgullosa de ser mujer y latina.

Cuando coincidí con ella en la puerta al entrar al Club y le dije "Yo sólo vine a conocerte", ella me miró sorprendida y me respondió con una pregunta:

"¿Y vos quién sos?"

"Una inmigrante colombiana que llegó a este país a los 16 años y se convirtió en lo que soñaba. Y tú y yo vamos a ser amigas", le contesté riéndome.

Desde ese momento Victoria y yo nos volvimos amigas. Y amigas de esas que parece que se conocen desde chiquitas. La pandemia nos acercó mucho más.

Su historia es maravillosa porque, cuando llegó a Estados Unidos con el sueño de ser actriz y sicóloga, tuvo que trabajar como mesera y sirvió de guía en un parque de diversiones. Pero un día decidió que no iba a ser actriz porque quería estar en el lugar donde se tomaran las decisiones, y como las decisiones se toman en las oficinas de producción, pues por ahí siguió su rumbo.

Empezó a trabajar como asistente de producción y de ahí pasó a producir efectos especiales. Tras muchos años viajando, le ofrecieron coproducir la película *"Iron Man"*, dijo que sí, y el resto es historia. Lo más curioso es que en esta capitana nunca existió el amor por los superhéroes. Su gran heroína es Mafalda, su paisana. Hoy explica que su amor por ellos nació de la necesidad de sobrevivir.

Siempre he pensado que Victoria es de esas personas que han llegado a mi vida para enseñarme a ser mejor ser humano. Desde que la conozco, nunca me ha mencionado que no tiene tiempo y siempre la he visto de buen genio, disfrutando sus procesos, irradiando una madurez que te llena de paz. Yo, que como buena costeña soy una gritona incontrolable, siempre le digo que ella me tiene que enseñar a ser menos gritona. Este consejo que me dio una vez lo llevo guardado en el alma, y algún día estoy segura de que será mi misión cumplida.

"Gritar es señal de impotencia. Si te dan lo mejor que tienen no podés gritarles. No te pueden dar lo que no tienen. El no es un no, lo grites o lo susurres. Y respira hondo una y otra vez".

Victoria ¿cómo manejas tú el tiempo?
"Para mí es importante hacer lo que tengo que hacer por la responsabilidad de trabajo o familia, y siempre dejar algo de tiempito para algo personal. Pero lo que no hago es bloquear lo que no quiero hacer, porque me parece que lo hago más rápido si lo encaro y voy con ganas y lo hago. Aunque no lo quiera hacer, lo hago igual porque aprendí que cuando más

le peleo, más tiempo tardo en hacerlo. Para mí la cuestión de tiempo es una cuestión de realizar lo que es necesario, pero también lo que quiero. La única manera en que yo sé cuándo estoy perdiendo el tiempo es cuando estoy pensado en otra cosa: si estoy en una reunión y tengo mi mente en otro lugar, es porque la reunión ya terminó y yo por alguna razón me tuve que quedar. Pero lo maravilloso de la mente es que a veces puedes aliviar otras cosas cuando estás ahí, y escuchar a la gente y no cortarlos, por lo menos quedarte semipresente".

¿Cómo te organizas en esos días en que hay mucho por hacer?

"Realmente realizo más cuando tengo más que hacer. No sé por qué, siempre fui de esa manera. Cuando más cosas tengo en la lista, más hago. Cuando menos cosas tengo, porque a veces tengo solamente dos cosas que hacer, me olvido de hacerlas porque no es algo que tenga que hacer en ese momento. No es que sea algo tan inmediato, así que sinceramente para mí es mejor tener más que hacer porque realizo mucho más".

¿Qué haces cuando no tienes ganas de hacer algo?

"Las cosas que no quiero hacer son las que hago mejor a veces porque sé que no las quiero hacer. Le dedico mucho tiempo a pensar cómo hacerlas con eficacia y con lucidez, y con paciencia. Por lo general, cuando no quiero hacer algo hay una gran lección, entonces como yo ya sé que eso me va a dar una lección, trato de verle la parte positiva al hecho de que no quiero y aprender en cada momento que la paciencia es un regalo y que nos tenemos que acordar que lo tenemos internamente, aunque sea difícil de acceder".

¿De qué te has quedado con ganas en esta vida?

"Me he quedado con ganas de muy poco en la vida. He hecho todo lo que he querido, no me puse cosas en la lista y después dije no las hago. Lo que va en la lista lo hago. En ese momento creo que tengo eficacias de crear el futuro que quiero e ir a buscarlo... Pero si tuviera que buscar una cosa, me encantaría poder tener la capacidad de ver a mis amigas más, estar con mis amigos, y cantar y cantar juntos. Me encantaría tener más tiempo para eso, para compartir en esos momentos donde el alma está en paz y contenta y disfrutar de una canción, aunque sea una canción tonta de la infancia o una balada del momento".

Estoy segura de que la vida te envía personas que mejorarán la tuya. Van a aparecer de pronto, y empezarán a marcar diferencias positivas en tu manera de ver las cosas. Tendemos a ver el éxito como algo que sucede un día. Victoria me ha enseñado que es el recorrido lo que va haciendo el éxito. El suyo en el mundo del cine en Hollywood es el mejor ejemplo.

CALMANDO LA SED DE APRENDER: EL ECUATORIANO DE COCA-COLA

Una de las decisiones que tomé durante el 2020 fue inscribirme en un curso para aprender a hablar en público. Desde hace cinco años me están invitando a dar conferencias sobre mis libros y siempre hablo desde mi corazón, sin ninguna técnica. El verano del 2020, al no salir de vacaciones debido a la pandemia, decidí que lo iba a invertir en mi crecimiento personal. Y es tan poderosa la mente cuando nos enfocamos en un deseo, que el Universo va creando los puentes para lograrlo. Un día mi buena amiga Lina Cáceres, sin saber absolutamente nada sobre esa decisión, me conectó con Fernando Anzures, un mexicano soñador, apasionado, brillante y generoso que creó la plataforma EXMA, una comunidad que forma conferencistas exitosos. Lina había tomado el curso y le pareció tan bueno que pensó en recomendármelo. Al día siguiente, Fernando y yo estábamos hablando vía Zoom y unos días después ya yo era parte de un chat en WhatsApp donde nos íbamos conociendo todos sus alumnos.

Pedí una semana de vacaciones en mi trabajo para dedicarme por completo al curso. Sin embargo, esa misma semana nueve de mis compañeros resultaron positivos al COVID y no me pareció prudente ausentarme. Aun no sé ni cómo hice para estar presente en el trabajo y el curso, pero me las ingenié para tomar las clases virtuales desde la 1 de la tarde y las de la mañana las veía después grabadas.

Lo mejor de ese curso extraordinario, que tuvo profesores excelentes, fue conocer tanta gente maravillosa. Éramos 22 alumnos con las mismas ganas de ser mejores personas, con una energía tan positiva que aquello tuvo un componente espiritual que nadie mencionó pero que estoy segura todos sentimos. Uno de esos compañeros que me impactó conocer fue el ecuatoriano Javier Meza, *Global Chief Marketing Officer, Sparkling* de The Coca-Cola Company, o sea, el jefe global de mercadotecnia de bebidas carbonatadas de la Coca-Cola. Sí, el responsable mundial y le toca viajar por el mundo entero. Cuando Javier confesó en nuestras clases que volar era uno de sus grandes miedos, me identifiqué mucho con él. Y me sorprendió muchísimo cuando contó cómo antes de aceptar una de las posiciones que ha tenido en su profesión decidió antes tirarse de un paracaídas para desafiar al miedo. Esa ocasión se prometió que no iba a cerrar los ojos y que, en vez de permitir que la experiencia lo paralizara, la iba a disfrutar. Qué gran lección.

Hoy en día, Javier pasa la mayor parte de su tiempo entrenando a los encargados de marketing de la empresa y, para conocerlos mejor, siempre les hace estas preguntas:

1. ¿Quién eres?
2. ¿Qué estudiaste y dónde has trabajado?

3. ¿Con qué sueñas y cuál es tu mayor ambición?
4. ¿Para qué eres bueno?
5. ¿Cómo te puedo ayudar?

Javier está convencido de que su propósito en la vida es ayudar a que los jóvenes cumplan sus metas y que estas sean positivas, tal como las cumplió él a pesar de que muchas veces hubo quienes creyeron mucho más en él que él mismo.

Y para Javier esa es precisamente la importancia de los líderes: que descubran en uno lo que uno a veces no ve.

Hoy su historia nos sirve de ejemplo a muchos. Aquel niño que nació en El Puyo, un pequeño pueblo de Ecuador, y que siempre supo que el deseo de sus padres de que se preparara y estudiara iba a ser la clave del éxito, hoy puede darse el lujo de decir que ha sabido aprovechar el tiempo.

Por eso lo invité a que fuera parte de este libro y nos diera sus mejores consejos:

"La mala noticia: el tiempo es limitado y (cruelmente) inflexible. No se puede 'crear más tiempo', no importa cuánto lo necesitemos. Tampoco se puede 'acortar el tiempo', no importa cuánto lo deseemos.

La buena noticia: nuestra energía no es limitada, es renovable y expandible.

Lo que hacemos con el tiempo, los resultados que generamos, dependen de nuestra productividad, que depende de nuestra energía.

Tenemos que aprender a conocernos, a saber cómo renovar nuestra energía física, mental, espiritual y emocional. Hacernos esta pregunta: ¿Cuáles son las cosas, personas, circunstancias o actividades que renuevan esas energías y nos permiten ser más productivos?

También tenemos que aprender a identificar cuándo están bajas algunas de esas energías. Ese es el momento en que hay que parar y recargar, no insistir en una actividad en la que no vamos a ser productivos.

Este es uno de los hábitos que sigo con disciplina y me permite tener más impacto. Lo primero va primero. Siempre. Debemos manejar nuestra agenda – diaria, semanal, mensual, anual – de forma activa, no reactiva.

Empecemos por llenar la agenda con las cosas realmente importantes, incluyendo tiempo para pensar y reflexionar, tiempo para renovar la energía física (ej. hacer ejercicio), mental (ej. distraernos) y emocional (ej. tiempo con familia y amigos), tiempo para desarrollarnos (ej. leer o estudiar). Y también dejemos reservas de tiempo para los imprevistos (importantes), que siempre aparecen.

El resto va después. Muchas cosas van a tratar de ocupar espacio en nuestra agenda. Si no son importantes, debemos aprender a decir 'no'.

Lo mismo aplica para nuestra mente. Vamos a usarla principalmente para las cosas importantes: pensar, soñar, imaginar, crear, aprender.

Lo que se puede anotar en un papel, en un teléfono, o se puede calendarizar en la agenda, es mejor hacerlo. Así liberamos nuestra mente para las demás cosas que realmente generan impacto en nuestras vidas y en los demás".

LOS CONSEJOS DE LA FUNDADORA DE QUEST

El día que entré al Centro de Convenciones de Minneapolis

donde iba a ser parte de RISE, el evento creado por Rachel Hollis para 4.000 mujeres, hubo una que me saludó como si me conociera de toda la vida.

"Hola Luzma, ¡qué bueno que viniste!", me dijo Lisa Bilyeu dándome un abrazo. Yo como buena productora y periodista, me había estudiado las biografías de ella porque sabía que nos tocaría compartir el escenario. Supe que era inglesa, de familia griega, que quería ser actriz y que ella y su esposo, Tom, habían intentado tener suerte en el mundo del cine. Al no conseguir nada, decidieron crear una marca de productos alimenticios llamada *Quest Nutrition*, que rápidamente se consolidó como una empresa billonaria en ganancias.

Hoy Lisa es cofundadora junto a su esposo de *Impact Theory* y *Women of Impact*, dos *shows* de entrevistas que empoderan a millones de personas. Lo que yo no sabía es que esta mujer poderosa, diminuta y dulce era tan extraordinariamente generosa. En un momento, cuando mencioné mi miedo escénico, me dijo:

"A mí también me da temor hablar en público, pero yo sé que mucha gente que nos quiere está pendiente de lo que vamos a hacer hoy y quiere que nos salga bien, así que toda esa buena energía la vamos a llevar al escenario".

Y así mismo fue. Nuestra conversación con Rachel y la encantadora Mally Roncal fue como de viejas amigas. De hecho, las tres quedamos conectadas. Lisa vino a Miami meses después y nos encontramos para cenar. Me siguió sorprendiendo con su gran humildad y coincidimos en nuestro deseo de servir de puente para que se conozcan las historias de éxito de mujeres que puedan inspirar a muchas más. Nunca me imaginé en alguna de mis innumerables dietas acompañada de mis barras de proteína *Quest* que un día estaría cenando con una de las fundadoras de la compañía.

Lisa es rotunda cuando dice que las mujeres tenemos que

olvidarnos de lo que *debemos* hacer y hacer lo que *queremos*. Y su historia, que empezó siendo un ama de casa común y corriente, es la mejor muestra de que pensar así da buenos resultados.

Lisa, eres una mujer muy activa. ¿Qué aprendiste de esta pandemia y la pausa que nos ha tocado vivir?

"Para ser honesta, esto fue más bien un recordatorio. Cuando lanzamos *Quest* estábamos en el corazón de la recesión. Eso fue en 2010 y la gente decía que no iba a gastar dinero en artículos que no eran necesarios y obviamente les demostramos que estaban equivocados. Así que esta pandemia fue sólo un recordatorio de que las circunstancias en las que estás no tienen que dictar tus resultados. Y si eres capaz de ver que las cosas no tienen que ponerse en pausa, que esa es tu decisión, podrás seguir creando un impacto desde tu casa de otras maneras. También me permitió abrir mi mente a ideas diferentes. Por ejemplo, todos nos volvemos rutinarios con las cosas que hacemos una y otra vez y eso de hecho puede hacer que tu negocio se estanque y que uno se estanque como ser humano. Así que, cuando veo que sucede algo como la pandemia, trato de darle un giro en mi cabeza y verlo como una oportunidad para crecer, para progresar y realmente mejorar esas cosas que solía hacer de manera repetitiva sin pensar realmente si iban a beneficiar mi objetivo final, que hacía sólo porque llevaba tanto tiempo haciéndolas. Lo veo como una forma de interrumpir tus hábitos de manera positiva".

Tú eras una chica de clase media que se volvió rica y poderosa. ¿Qué le enseñarías a la joven Lisa sobre el dinero?

"Buena pregunta. Le enseñaría a la joven Lisa a no tener miedo a hablar de dinero. Crecí con un gran estigma sobre el dinero. Nunca se me permitió preguntarle a mi padre cuánto ganaba. Su respuesta básicamente era que eso no se le preguntaba a nadie, que era de muy mala educación. Así que crecí con la mentalidad de que no se puede hablar de dinero, especialmente si eres mujer, y desearía no haber aprendido esa lección porque creo que el dinero puede ser poder. Es como un superpoder: puedes usarlo para el bien o puedes usarlo para el mal. Pero el dinero en sí no es malo; es cómo lo usas. Así que en realidad me gustaría animar a la generación más joven, especialmente a las mujeres, a hablar de dinero y ver el poder del dinero y la positividad del dinero y la creación de riqueza. Creo que la creación de riqueza puede ser hermosa. Pongamos mi propio ejemplo como un gran ejemplo. *Impact Theory* (La teoría del impacto) y *Women of Impact* (Mujeres de impacto) nacieron de mi creación de riqueza en *Quest*. Yo no habría podido impactar a la gente si no hubiera creado riqueza para mí, así que pienso que cambiar la discusión en torno al dinero sería importante y realmente impactante para la generación más joven si somos capaces de hacerlo de una manera más productiva y empoderadora".

¿Cuál es el mejor consejo para alguien que esté trabajando con su marido?

"El mejor consejo que puedo dar es que tengan extremadamente claro, pero extremadamente claro, cuáles son sus respectivos papeles, porque habrá momentos, como en cualquier negocio, en que no estarán ambos de acuerdo. Si ese es el caso, ¿cómo siguen adelante? ¿Cómo toman decisiones si están completamente en desacuerdo? Antes de siquiera empezar nuestra empresa, mi esposo y yo dijimos que teníamos que establecer qué rol tendría cada uno, qué significaba ese rol y qué significaba no sólo desde el punto de vista del título sino de qué responsabilidades iba a tener yo y qué responsabilidades iba a tener él. Fuimos muy claros, lo hicimos como un contrato, y también dijimos: *Si no estamos de acuerdo en algo, ¿quién tomará la decisión final?* Tomar esa decisión antes de que uno esté en esa situación es obviamente lo más impactante y poderoso que puedes hacer, y hay que asegurarse de hacerlo como digo *yo emocionalmente sobrio* para poder hacer frente a estas situaciones con cabeza fría. Así que Tom y yo decidimos que, como los dos queremos que la empresa crezca, los dos queremos que la empresa cree impacto, uno de los dos debe tener la última palabra si llegamos a estar en desacuerdo y juntos decidimos que sería él. Yo estaba completamente satisfecha con eso porque llegamos a esa conclusión basados en nuestras habilidades. Creo que él es mejor tomando decisiones menos emocionales que yo. Así que, de nuevo, dejamos eso muy en claro desde un principio y en los cuatro años que lleva *Impact Theory* sólo hemos chocado una vez, y cuando digo chocar me refiero a que estuvimos en desacuerdo, él no pudo convencerme a mí y yo no pude convencerlo a él. Recuerdo que estábamos en medio de una gran reunión del equipo de la compañía y él se volteó y me dijo: *OK, escuché lo que dijiste, no estoy de acuerdo así que lo vamos a hacer a mi manera.* Y como ya lo habíamos acordado yo estuve muy bien con esa decisión, no hubo emoción de por medio. Logramos navegarlo como socios comerciales y no perjudicó nuestra relación en absoluto porque ya habíamos hecho esos acuerdos antes. ¡Así que como pareja eso es súper, súper, súper importante!".

¿Cuáles son tus mejores consejos para organizar el tiempo?

1. Conoce tu orden de prioridades.

2. Ordena esas prioridades de manera que, si una está en conflicto con otra, sepas exactamente dónde deben ir tu tiempo y atención para que siempre estés centrad@ en la numero uno.

3. Al menos una vez al mes revisa tu calendario y fíjate dónde estás gastando tu tiempo. Luego clasifica esas cosas según tu lista de importancia para ver si realmente estás pasando el tiempo donde debes, o si tu tiempo es requerido en otro lugar. Eso es muy importante.

4. Siempre tienes que ser muy consciente de cada minuto del día porque te van a pedir que hagas un montón de cosas y se te van a presentar un montón de oportunidades. Incluso si algo toma sólo cinco minutos, tienes que estar consciente de la importancia que pueden tener esos cinco minutos. Aquí es

cuando se complica la cosa y cuando analizo cuánto tiempo me lleva hacer algo y en qué porcentaje eso va a mejorar lo que estoy creando. Como una persona perfeccionista, mi instinto es dedicar todo mi tiempo a hacer algo perfecto, pero si paso dos horas extra haciendo algo y eso sólo lo mejora en un 2%, entonces puedo determinar que no merece mi tiempo. Así logro establecer si realmente estoy siendo productiva o no.

#NOTEQUEDESCONLASGANAS

1. *"Este es uno de los hábitos que sigo con disciplina y me permite tener más impacto. Lo primero va primero. Siempre".*
2. *"Empecemos por llenar la agenda con las cosas realmente importantes, incluyendo tiempo para pensar y reflexionar, tiempo para renovar la energía física (ej. hacer ejercicio), mental (ej. distraernos) y emocional (ej. tiempo con familia y amigos), tiempo para desarrollarnos (ej. leer o estudiar). Y también dejemos reservas de tiempo para los imprevistos (importantes), que siempre aparecen".*

3. *"Lisa es rotunda cuando dice que las mujeres tenemos que olvidarnos de lo que debemos hacer y hacer lo que queremos. Y su historia, que empezó siendo un ama de casa común y corriente, es la mejor muestra de que pensar así da buenos resultados".*
4. *"Por ejemplo, todos nos volvemos rutinarios en las cosas que hacemos una y otra vez y eso de hecho puede hacer que tu negocio se estanque y que uno se estanque como ser humano".*

5. *"Muchas cosas van a tratar de ocupar espacio en nuestra agenda. Si no son importantes, debemos aprender a decir 'no'".*

El ARTE no quedarte con ganas

9
EL MOMENTO
EN QUE TODO
SE DETIENE

"Puedes dejar cosas para
mañana, pero quizás mañana no
llegue"

— **Gloria Estefan**

Además del no *tengo tiempo*, el *eso requiere mucho* tiempo también nos aleja de la meta. Es como una justificación elegante para no hacer algo. No sólo explica que no tienes tiempo para hacerlo, sino hace que la cosa parezca tan pero tan complicada, que de entrada te mentalizas a que requiere demasiado de aquello que no tienes y prefieres no hacerlo.

Te alejas de la meta sin ni siquiera haber dado un paso hacia ella porque tu mente te inventó ese cuento. Y sí, hay metas complicadas que requieren mucho tiempo, pero eso hace que ese sueño cumplido sea mucho más poderoso.

Y es que el tiempo es un arma de doble filo. A veces sentimos que necesitamos tanto que decidimos no buscarlo y de plano declarar que no lo tenemos. Esa escasez de tiempo, sin embargo, se vuelve arrepentimiento cuando la vida nos pone contra la pared. Cuando los hijos se van a la universidad y de pronto nos damos cuenta de que ya crecieron y quizás tanto trabajo nos robó momentos más felices junto a ellos. O el día que entierras a tu padre y sales del cementerio recordando todas esas veces que no pudiste estar con él porque estabas de trabajo hasta el cuello.

O cuando de pronto un día te dicen que tienes cáncer.

Mi amiga y colega Yuri Cordero, productora ejecutiva del exitoso programa de Univision "Primer Impacto", un día recibió esa noticia.

"Estaba viviendo una vida sin sosiego y estoy clara que Dios sabía que sólo una enfermedad me detendría", me cuenta Yuri con esa pasión inmensa con la que habla siempre y con la que transmite hoy su fe. "Yo era adicta al trabajo. Aun así, Él tuvo misericordia conmigo. El cáncer de mama fue una bendición porque fue detectado a tiempo y en una etapa inicial. Para extirparlo, me sometí a tres cirugías sumamente invasivas en menos de ocho meses. Pasé unas 14 semanas recuperándome en una cama. Durante la segunda intervención, sufrí una emergencia y decisiones claves fueron tomadas sobre mi cuerpo que no supe hasta que desperté de la anestesia. Me di cuenta de que el mundo no se detiene porque tú no estás. Tras muchos años sin parar, logré dormir sin despertador, casi no hablaba por teléfono, ni encendí el televisor, pero veía cómo las manecillas del reloj seguían marcando sin cesar. El silencio y el descanso recargaron mi vida y me abrieron los ojos. Descubrí que no soy indispensable y aprendí a valorarme".

¿Qué haces ahora diferente?

"Yo puedo trabajar 24 horas al día si es necesario. Amo ser la productora ejecutiva de 'Primer Impacto'. Pero tomé pasos simples que me han ayudado a reducir el nivel de tensión que tenía en mi vida. Entre ellos, irme a dormir más temprano. En el trabajo, trato de retirarme a una hora puntual si no tenemos noticias de último minuto que debemos actualizar en el programa. Decidí tomar mi hora de almuerzo porque nunca lo hacía. En las mañanas comencé a caminar en el parque antes de ir al trabajo; esto me ayudó a perder peso. También entendí la importancia de poner límites y el poder del 'No'. Ser cordial al usarlo: *Muchas gracias, en este momento no podré asistir, espero reunirnos más adelante.*

Recientemente, durante una entrevista para una organización, me preguntaron a qué yo le era fiel. Pensé por unos segundos y respondí: 'Al éxito'. Dejaba absolutamente todo por mi trabajo. Llevo casi 30 años en este negocio, mi carrera era un sueño de niña hecho realidad. Ser periodista es un llamado, no una profesión. La mayoría de mis compañeros están casados con su trabajo. Ese matrimonio muchas veces toma prioridad, pero no debe ir antes que Dios o tu familia. Los fracasos y los golpes revelaron que es necesario dedicarle un tiempo sano a ambos para prevenir muchos problemas y sufrimiento que quizás yo misma ayudé a fomentar".

¿Cómo te ayudó la fe a seguir adelante?

"Yo me considero una persona sumamente organizada,

planifico absolutamente todo, hasta las vacaciones tienen un horario de actividades y cada detalle es preprogramado. Es parte de mi ADN planificar todo. A la misma vez, confieso que algunas veces tomaba decisiones apresuradas guiada por emociones porque me gusta decir que sí, y aceptaba compromisos que no debía. Cuando puse a Dios primero en mi vida todo cambió. Él nos da la convicción para determinar qué cosas debemos o no hacer. El diagnóstico de cáncer y el tiempo que pasé apartada de todos durante mi recuperación me ayudó a saber quién era quién en mi vida, y a sólo dedicarle los minutos y las horas a lo que realmente se lo merece. El tiempo es una moneda invaluable que debemos compartir con quien lo aprecia".

¿Qué te has atrevido a hacer durante la pandemia?
"Me atreví a seguir el llamado de Dios en mi vida. Él me mostró que ser productora y periodista no me impide ser su discípula. Perdí casi siete años de estudios por no escuchar su voz. Si tienes algo en tu corazón que tú sabes que debes hacer, no permitas que las dudas y opiniones de los demás te detengan. Durante la pandemia, estuvimos restringidos a nuestros hogares y eso abrió otras puertas en mi vida. Comencé a reunirme con mis hijos todas las semanas en un altar familiar, me gradué de la escuela de liderazgo en mi iglesia, tomé clases virtuales y adquirí una certificación de Harvard, otras dos de Hillsdale College y la PUCMM de República Dominicana. En abril, lancé la página @iamhighgrace en Instagram cuyo enfoque es: 'Nunca es tarde para caminar en el propósito de Dios'. Estoy lista para todos los planes que Él tiene para mí.

Mi tiempo con Dios es sagrado. Eclesiastés 3:1 (RVC 1960) dice: 'Todo tiene su tiempo, y todo lo que se quiere debajo del cielo tiene su hora'. Para tomar mis clases, le pedí autorización a la vicepresidenta de noticias y me aseguré de cumplir todas mis responsabilidades. La familia de '(Primer) Impacto' es sumamente importante para mí. Llevo 23 años en ese programa, trabajando con personas talentosas y apasionadas por la labor que hacemos a diario. No podemos hacer cosas a medias si queremos triunfar en todas las áreas de nuestras vidas. La excelencia y el profesionalismo son clave para cumplir tus metas".

Sus mejores consejos para organizar bien el tiempo:

1. Desde que te despiertes dale gracias a Dios por el día y dedícaselo a Él. Todo sale mejor cuando lo haces en honor al Padre.

2. Mira la agenda y analiza todas las reuniones que tienes y los horarios. Si tienes hijos u otras responsabilidades, tienes que combinarlos para no sobrecargarte, faltar o estar retrasado. Usa las alarmas de tu celular, así recibirás un alerta cuando tengas algo pendiente. Si tienes que trasladarte a reuniones, toma en cuenta el tráfico; uno no sabe lo que puede encontrarse en el camino.

3. Hay un refrán que dice: "Estar temprano es ser puntual, si eres puntual estás tarde, y estar tarde es inaceptable". Hacer esperar a otra persona es una falta de respeto. El tiempo es lo único que no podemos recuperar. En noticias, cada minuto es una eternidad, cada segundo es importante. De nada vale trabajar todo el día en una nota si no sale al aire o en el segmento que le corresponde. Es tan fácil como no llegar a tiempo a un vuelo comercial: las puertas cierran 10 minutos antes, y no te dejan pasar. No te quedes atrás.

4. Si estas retrasado, debes llamar y alertar. Cuando llegues, es importante darle las gracias a esa persona por esperarte.

Al igual que Yuri, varias mujeres que se enfrentaron al cáncer y sobrevivieron fueron entrevistadas por la revista *Women's Health* y concluyeron que ahora no sólo disfrutan, sino que usan mejor su tiempo. Sorprende ver lo parecido de sus resoluciones después de sufrir esa enfermedad. Estas fueron las frases que más me impactaron:

1. "De pronto el reloj empieza a caminar y no puedes seguir posponiendo lo que siempre deseabas para ti".

2. "Me enseñó a ser más paciente, a priorizarme yo, a ser más espiritual".

3. "Yo ahora le saco el jugo a cada día y me rodeo de gente que ame la vida".

4. "Me permití frenar un poco, gozar más los fines de semana".

5. "Antes a todo decía que sí, y nunca vivía el momento. Ahora estoy totalmente presente".

Víctor Santiago, productor general y director de "Despierta América", también escuchó un día, a sus 44 años, la palabra cáncer. Su próstata protestó y tuvieron que operarlo.

¿Qué hiciste cuando te dijeron que tenías cáncer?

"Primero escuché el silencio... Dejé de escuchar como por un minuto. No llanto. No nervios. Gracias a Dios había llevado a mi gran amiga Vanessa Meyer; ella decidió acompañarme y se convirtió en mis oídos y voz. Al segundo que me dijeron *cáncer*, ella hizo todas las preguntas necesarias. Agradezco a Dios porque yo sólo miraba a la pared. Luego de ese minuto... volví a escuchar. Todo cayó en su lugar y obviamente, como a cualquier ser humano, me pegó el llanto. Pero no me dejé caer".

¿Qué has hecho diferente en tu vida desde que el cáncer te amenazó?

"No dejar nada más para después. No vivir de acuerdo con el 'librito de la vida' en el que todo tiene un orden a cierta edad. Que si hay que hacer esto, que si aquello. Ese en el que me decían que pasa el tiempo y aún no tengo la casa con el BBQ atrás. Si me quiero poner la camisa de *millenial* de 25 años, me la pongo. Si me quiero poner la guayabera de mi papá, me la pongo. Me como el helado. Mi vida cambió antes del cáncer para dejar de preocuparme por el qué dirán. El cáncer le dio punto final".

Leer tantos testimonios parecidos indica una sola cosa: que cuando pensamos que ya no nos va a quedar tiempo es que empezamos a utilizarlo en su justa medida. Entendemos que hay que priorizar, vivir el presente, cumplir lo que nos prometemos, dedicarle tiempo a lo que amamos, incluida nuestra profesión y, sobre todo, disfrutar el minuto a minuto. Cuando nos dan esas noticias que hacen detener el tiempo es cuando entendemos que no podemos seguir posponiendo la felicidad.

Gloria Estefan lo resume bien cuando recuerda cómo cambió su vida después del accidente que sufrió en 1990 y que casi la deja paralítica:

"Siento más urgencia por expresarle mis emociones a la gente que amo".

Yo te invito a cumplir desde ya el compromiso contigo mism@ para encontrar el tiempo diario que necesitas para acercarte a tus sueños.

Para curar tus heridas.
Para pronunciar más te *quieros*.
Para conocer nuevos mundos.
Para aprender cosas nuevas.
Para construir un gran futuro.

Que no pase un solo día más en tu vida en el que te tumbes en un sofá o una cama a mirar las vidas ajenas olvidándote de lo grandiosa que puede ser la tuya. Te invito a que no permitas que el reloj siga marcando horas en las que no pasa nada de lo que quieres que pase.

De eso justamente se trata la vida: de no quedarse con las ganas.

Ojalá sientas, al cerrar este libro, que te llegó la hora de ganarle al tiempo.

#NOTEQUEDESCONLASGANAS

1. *"Esa escasez de tiempo, sin embargo, se vuelve arrepentimiento cuando la vida nos pone contra la pared".*

2. *"No vivir de acuerdo con el 'librito de la vida' en el que todo tiene un orden a cierta edad. Que si hay que hacer esto, que si aquello. Ese en el que me decían que pasa el tiempo y aún no tengo la casa con el BBQ atrás".*

3. *"Desde que te despiertes dale gracias a Dios por el día y dedícaselo a Él. Todo sale mejor cuando lo haces en honor al Padre".*

4. *"Cuando pensamos que ya no nos va a quedar tiempo es que empezamos a utilizarlo en su justa medida. Entendemos que hay que priorizar, vivir el presente, cumplir lo que nos prometemos, dedicarle tiempo a lo que amamos, incluida nuestra profesión y, sobre todo, disfrutar el minuto a minuto".*

5. *"Siento más urgencia por expresarle mis emociones a la gente que amo… Y de eso justamente se trata la vida: de no quedarse con las ganas".*

166

10
LOS ÚLTIMOS MINUTOS DE ESTE LIBRO

Termino este libro quizás en una de las semanas más complicadamente maravillosas de mi vida profesional. Desde hace dos meses venía trabajando en conseguir una entrevista con el expresidente estadounidense Barack Obama con motivo de la publicación de su libro, "Una tierra prometida", y finalmente recibí la llamada de las ejecutivas de Penguin Random House Rita Jaramillo y Mónica Delgado para confirmarme que sería una realidad.

La entrevistadora no podría ser mejor: la gran Isabel Allende. Y lo mejor de todo: "Despierta América" será el único medio en español con el que Obama hablará.

Sí, el destino me regala por tercera vez a Isabel Allende en este 2020 y de repente me encuentro mirándola en un Zoom *meeting* y yo, que nunca olvido de dónde vengo y lo que soñaba cuando empecé, vuelvo a agradecer esta maravillosa oportunidad que me da mi profesión de no quedarme con las ganas.

Te cuento esto a ti para que no veas imposibles en tu ruta hacia el éxito. Para que entiendas que te pueden pasar cosas maravillosas si usas tu tiempo para luchar por ellas.

Mi agenda se ve de pronto llena de llamadas y reuniones para llevar a cabo la entrevista. Emails van y vienen. Confidencialidad absoluta. Sólo Inés, mi asistente, y Víctor, productor general del programa, además de mis jefes, saben por mi lado que a Obama lo entrevistará Allende.

Si preproducir una entrevista con un líder como Barack Obama conlleva vigilar cientos de detalles, imagínate en tiempos de coronavirus. Y que haya ocurrido mientras escribo este libro, que es una reflexión sobre el uso del tiempo, me ayudó muchísimo porque pude aplicar todo lo que he aprendido en el proceso.

Cada email o llamada produce un nuevo cambio que hay que

ejecutar. Si el día comienza con cinco cosas puntuales en las que hay que trabajar, ese mismo día termina con 15 que se hicieron y tres que faltan por hacer.

Lección que no me canso de repetir: hay que tomar acción inmediatamente. Si dejas todo "para más tarde" se complican más las cosas. Los proyectos complicados hay que simplificarlos con buena organización y reacción inmediata. A mí me funciona mucho escribir siempre cuáles son los próximos pasos.

La mañana de la entrevista decido cambiar de orden una pregunta. Obama tiende a extenderse y corremos el riesgo de que la media hora que nos dieron no sea suficiente y se queden preguntas sin hacer. Se lo digo a Isabel y enseguida responde que no hay problema. A Isabel Allende le agradeceré toda la vida que haya aceptado entrevistar a Obama. Gracias a que ella dijo que sí, todos pudimos vivir una experiencia profesional inolvidable. Y que además nos haya acompañado en el proceso como una reina, sin exigir nada y al contrario, ofreciendo generosamente toda su sabiduría periodística, fue también una gran lección de vida. Te lo digo otra vez: Gracias Isabel.

El día de la entrevista todo está bajo control. John B. Pérez, Sr, vicepresidente de producción y operaciones técnicas de Univision Noticias además de un viejo y querido amigo, me acompaña en el Control Room. Su presencia me da paz.

En California, Luis Sandoval y Marco Gálvez se encargaron de la producción y en Washington lo hizo Deborah Durham. Y así nos unimos Isabel desde California, el presidente Obama desde Washington y yo desde una sala de control de Univision en Miami. Y todos, con nuestros tapabocas puestos, sonreímos con los ojos, como la pandemia nos enseñó a hacer. Sabemos que estaremos presenciando una conversación histórica.

Minutos antes Isabel, ya sentada en su oficina esperando a Obama, me cuenta que se siente honrada de entrevistarlo y yo le explico que nuestro orgullo es doble por tenerla a ella.

Una cámara ubicada en la suite de un hotel en Washington nos permite ver que se abre la puerta y entra una joven a avisar que el presidente Obama viene en camino. Todos guardamos silencio. Quince minutos más tarde la puerta se abre otra vez, y la misma chica avisa que ahora sí, viene. Mientras tanto, le recuerdo a Isabel a través del auricular por el que estamos conectadas que no le hablaré durante la entrevista y que sólo le voy a avisar seis minutos antes para que haga la última pregunta, no importa dónde vaya en el orden del cuestionario establecido. Siempre el tiempo haciendo que uno cambie rumbos para poder alcanzarlo...

La puerta se abre por tercera vez y ahora sí, entra Barack Obama. Saluda a todos amablemente mientras camina como flotando hacia la silla y se deja conectar el micrófono. La conversación comienza de inmediato y yo voy escribiendo sus mejores frases mientras veo el reloj en el *Control Room* y le aviso a Rita, Mónica y Miguel Aguilar, el editor de Obama en español y director literario del sello Debate de Penguin Random House con quien trabajamos la entrevista, que todo marcha bien. A los 15 minutos veo que Isabel ya ha hecho la mitad de las preguntas. Tengo fe que las podrá hacer todas. Faltando seis para que se cumpla la media hora, le digo que haga la última.

Siempre controlando el tiempo...

La entrevista es un éxito. Me voy pensando en una de las respuestas mientras manejo de vuelta a casa.

Cuando Isabel le preguntó si creía en el destino, Obama le respondió:

"Escribí en el libro que no creo en el destino como lo pensamos.

Creo que suceden tantas cosas en tu vida que tienen que ver con la suerte y lo sabes. Soy de la fe cristiana, pero creo que Dios está muy ocupado, demasiado ocupado, como para pensar en lo que cada uno de nosotros está haciendo en un momento dado. Y a veces me preocupo, pienso que cuando la gente habla del destino, si sus vidas han sido buenas, entonces se usa para hacerles sentir que se merecen todo lo que recibieron. Si sus vidas son malas, entonces piensan de alguna manera, 'bueno, no hay nada que pueda hacer ya al respecto'. Creo que a cada uno de nosotros se nos reparte una mano de cartas y la jugamos lo mejor que podemos. Nuestra responsabilidad es tratar de jugar con gracia y valor y con fuerza y hacer nuestro mejor esfuerzo con las cosas que podemos controlar. Creo que es posible que sólo algunas cosas cambien aquí o allá. Si alguna de esas cosas hubiera sido diferente, yo no hubiera sido presidente de los Estados Unidos y nunca hubiera tenido la oportunidad de conocer a autores famosos como Isabel Allende. Sería un tipo normal".

Y me pongo a pensar que esas cosas que cambian aquí y allá, como dice Obama, no son más que el esfuerzo extra que hacemos, las horas largas que le dedicamos a un proyecto, o a estudiar, o a insistir. Las decisiones que tomamos. Y eso me sirve de inspiración para producir junto a mi equipo el especial de dos horas del Día de Acción de Gracias de Univision y, durante la misma semana, entrevistar a Carlos Vives en vivo durante la Feria del Libro en Miami y servir orgullosamente como madrina de su libro "Cumbiana: relatos de un mundo perdido".

Este mes de noviembre me llegó todo junto. Pero tantas cosas al mismo tiempo, en vez de atormentarme, me animan a seguirle ganando la batalla al tiempo. A no quedarme con las ganas de nada. Hay que entender que la vida de pronto responde con pausas y otras veces manda todo a la misma vez. Y en las pausas, cuando parece que no pasa nada, tampoco hay que atormentarse. Hay que entender que el tiempo, aunque es un misterioso y sabio maestro, no es predecible.

Y aunque este noviembre en que termino de escribir estuvo lleno de buenas noticias, tengo que reconocer que comenzó muy triste. El primer día del mes, un domingo para ser exactos, nos sorprendió la muerte repentina de mi querida amiga Magda Rodríguez, productora ejecutiva del programa "Hoy" de Televisa, a quien le dedico este libro porque nunca se quedó con ganas de nada, vivió siempre el hoy y usó el tiempo para luchar por sus sueños.

Magda se fue a dormir el sábado sin saber que no viviría el domingo.

Cuando supe la noticia, comencé a llamarla. Me parecía mentira que fuera verdad. Habíamos hablado dos días antes. Su única hija, Andrea, me confirmó que había fallecido mientras dormía. La muerte del justo, como decía mi abuela Mama Tina.

La historia de Magda la conté en "Tu momento estelar" porque ella estaba viviendo el suyo. El tiempo no le dio permiso de leer este libro, y esa es otra gran lección que recibo en medio de este proceso y que quiero dejarte grabada en el corazón. Vive cada día dándolo todo, haciendo lo mejor posible, pero que nunca te atrase el deseo de la perfección; la perfección no existe.

Cuando le cuento a una amiga de qué se trata este libro, me manda este mensaje:

"Hace poco un hombre muy sabio me dijo que yo estaba enferma porque sentía que no tenía tiempo. Que sentía que se me estaba yendo la vida y aún no había logrado lo que en mi mente yo creía que debía lograr".

Me puse a pensar a cuántas personas que se debaten entre el ahora o nunca les pasará lo mismo. Tal vez a ti que ahora lees esto. Y por eso te recuerdo que nuestra vida no debe ser una carrera contra el tiempo, nuestra vida debe ser un buen baile junto a él. Y en ese baile, que siempre hay que disfrutar, hay que aprender a conocerlo para ganarle la batalla.

El Día de Acción de Gracias, el primero que vivimos en medio de una pandemia, mi esposo, mi hija y yo decidimos ver videos de hace 20 años. Me conmovió encontrarme con mis muertos más queridos bailando en fiestas de Navidad y me sorprendió revivir momentos que no recordaba haber vivido. Volví a entender que en la vida no hay que quedarse con las ganas de nada.

Por eso no le volveré a creer al miedo cuando me susurre otra vez al oído que desista, que no tengo tiempo.

11
MI CARTA AL TIEMPO

"No te rindas que la vida es eso,
continuar el viaje,
perseguir tus sueños,
destrabar el tiempo,
correr los escombros y destapar
el cielo".

– Mario Benedetti

Querido tiempo:

Lo terminé. Me regalaste tardes y noches enteras para escribir este libro que ahora te entrego, te agradezco y te dedico. Me pusiste trampas y me hiciste batallar con mil distracciones, pero todo lo que iba aprendiendo sobre ti, lo iba también poniendo en práctica a medida que escribía. Al final no caí en tus trampas y lo termino feliz, agradecida y segura de que va a servir mucho.

Te doy gracias por permitirme encontrar esos momentos para escribirlo al igual que agradezco que el lector haya llegado hasta aquí y te haya usado para leerlo.

Durante la pandemia te conocí mucho mejor. En julio del 2020 me diste el regalo de cumplir 20.089 días de nacida. Y de ellos me di cuenta de que llevo unos 1.600 viviendo como yo soñaba.

Quedándome sin hubieras.
Aprendiendo todo lo que dicta mi curiosidad.
Diciendo sin miedo lo que pienso.
Escribiendo, sin borrar, lo que me sale del alma.
Pronunciando los *tequieromucho* que me den la gana.

Comiendo postres sin arrepentirme, admirando lo que me gusta y escogiendo las batallas de acuerdo con las victorias que me interesen... Pidiendo perdón antes de que sea muy tarde.

Cada día te uso menos para sabotearme. Por ejemplo, ya no uso tus segundos valiosos para pensar en el qué dirán. Y hace mucho dejé de quedarme parada frente al espejo mirándome la celulitis. No sé si porque ya no me importa tenerla o porque después de casi media vida de tenerla aprendí a quererla. Y ya no me da pena ni hablar inglés, ni bailar sola, ni decir que no, ni cantar a todo pulmón "Vida de rico" de Camilo.

Me gusta usarte para felicitar, para dar palmaditas en la espalda, para decirle a alguien que me inspira, para preguntar cómo está el ánimo, para contar lo que me tiene triste y denunciar lo incorrecto. Todos esos momentos son hoy el tiempo que sumo y gano para mejorar mi vida.

Cada día estoy más convencida de que sacarte unos minutos para rezar devuelve la paz que se roban los miedos, y también sé que uno siempre se debe ir a dormir sabiendo que fue justo durante el tiempo que estuvo despierto.

Alguien me preguntó muy asombrada una vez en una conferencia como yo tenía tiempo para rezar el Rosario todas las noches... Si supiera que ese es mi tiempo sagrado y que no ha habido un solo día desde hace nueve años en que me acueste sin hacerlo.

Cada día me pareces más necesario. Será por eso que me fascina comprar relojes. Aunque te confieso que ya reconozco perfectamente, sin ni siquiera mirarlos, cuándo te estoy perdiendo.

Sí, me doy cuenta de que te estoy perdiendo en cada uno de esos momentos en que dejo que el miedo me dé ordenes, o cuando me enfrasco en peleas donde siempre habrá dos versiones y no hay un juez para decidir quién tiene la razón. Te pierdo cuando siento que mis palabras destruyen. Cuando repito en voz alta lo que asumo. Cuando digo que sí cuando quiero decir que no. Cuando invento finales tristes. Cuando me quedo callada pudiendo decir tanto.

Cuando me preocupo inventando historias que nunca se harán realidad.

Por el contrario, mecerme en mi hamaca, releer mis libros favoritos, comerme un *flan cake* de Nutella, acostarme a ver una película con mi hija o simplemente hablar con ella, saborear un buen chisme con mi mamá y caminar por la playa con mi Bebo, siempre serán momentos de gloria que multiplicarán mi felicidad.

Tiempo ganado.

Tú, tiempo, me regalaste años valientes después de los 50, aunque te tengo que confesar que le sigo teniendo miedo a las ranas, las lagartijas y las ratas, pero ya mato cucarachas sin que me tiemble la mano (menos las voladoras, porque no peleo con nada que vuele).

Ya no pongo ni fecha ni hora a los placeres, como helados sin esperar a los domingos. Prefiero pasar las horas con tenis y no con tacones, y ya no digo que algo no me gusta sin haberlo probado como me pasó durante tantos años con el yogurt, el sushi y el *cheesecake*.

Ahora, salgo a la calle sin usar tus minutos para maquillarme y no me importa salir con la cara lavada ni tomarme fotos así, agarro las costillas con las manos, aunque me chorree la salsa de BBQ entre los dedos, y ya no me importa que los dientes me queden llenos de cositas amarillas cuando me como una mazorca. Ya tú me darás tiempo para limpiarlos bien.

Ahora, te uso con gusto para estudiar, hablar con mis amigos y ponerles hielo a mis orquídeas. Las carteras me gustan más que antes, pero después de la pandemia empecé a contarlas y a entender que tantas no eran necesarias. Durante el 2020 no me diste tiempo para usarlas. Qué gran lección me diste.

El día de mi cumpleaños me puse a pensar que en esos 20.089 días no quise aprender a hacer ejercicio para eliminar la barriga, pero ya le enseñé al cerebro a que se calme cuando se monta a un avión y celebro los aterrizajes con la misma felicidad con que vigilo las rebajas de Nordstrom, Target o H&M.

A esta edad ya estoy convencida de que las horas que me das me deben servir para servir, ayudar, conectar, inspirar, crear, dar, caminar la milla extra y contar las cosas buenas que otros hacen para que crezca la felicidad.

Hoy estoy segura de que los hijos son los mejores maestros del tiempo. La mía me enseñó que todos sí somos iguales, y que el amor sí es lo más importante.

En esos últimos 1.600 días no me ha dado vergüenza ni llorar en público ni reírme duro. No he dejado un solo día de escribir en mi diario del agradecimiento y ya dejé oficialmente de buscar el dichoso balance.

Ahora lo que me importa más es estar totalmente presente. Sentir que vivo cada segundo que tú me regalas. Por eso ya no me da rabia que el semáforo eterno de la esquina de mi casa no cambie a verde cuando yo quiera y cualquier demora en mi camino o cambio de planes sobre el que yo no haya tenido control siempre se lo atribuyo a un plan divino. Eso me ha enseñado cada día a pelear menos contigo.

Ya por fin entendí por qué a veces duras tanto y por qué a veces pasas volando. No te burles: ya por fin entendí también que la culpa es mía y no tuya.

A esa aliada tuya, la paciencia, le sigo coqueteando a veces, pero aún no es totalmente mi amiga. Hay cosas que aún me la roban. La gente que no hace caso, los mentirosos, los que van por la vida haciéndose las víctimas y los que escriben comentarios negativos en las redes sociales y hacen bullying sin pensar en el daño que causan.

Durante la pandemia me regalaste también 30 años de casada. Ya no creo en los príncipes azules que me ilusionaban en aquellos tiempos de mi niñez gracias a Disney, porque el mío no es azul, es coloradito y hace 30 años se porta como un Rey, me hace las uñas de los pies, me cree siempre que comienzo dieta el lunes y lo tengo casi convencido de que todo el mundo me manda regalos por Amazon.

Hoy ya no me escondo para hablar con mi perra y con mi gata y no me da vergüenza decirles que las quiero y hablarles a veces como si fueran bebés.

Esos minutos que me das con ellas me alegran el alma.

Siempre me reproché que no te usé para preguntarle a mi abuela la receta de sus canelones. Hoy por eso todo lo pregunto. Nunca me quedo con las ganas de saber.

Ya entendí que tú no avisas... Y que quizás mañana no haya a quién preguntarle.

Ahora me permito detenerme a mirar lo que antes ni notaba, leo más rápido, hablo menos por teléfono, hago más preguntas, escribo lo que tengo que agradecer, y trato de rescatar siempre lo positivo. Hoy agarro menos rabias que hace un año, pero defiendo con más fuerza que antes lo que considero justo.

Hoy sufro por los que se dan cuenta demasiado tarde de que ya no te tienen y rezo para que le regales más años de vida a cada miembro de las familias separadas y así te tengan a su favor para volverse a reunir un día. Aplaudo a los viejitos que sacan tiempo para calmar todas sus ganas y a los jóvenes que te invierten en aprender cómo llegar felices a viejitos.
El día que cumplí esos 20.089 días de nacida (que para los malos en matemáticas son 55 años) confesé públicamente que aprendí a vivir como yo quería cuando cumplí 50. Ahí dejé de echarme culpas, de compararme, de hacerme la víctima, de hablarme feo y de sentirme mala mamá si comía yo primero.

Ahí dejé de creerme el cuento y comencé a crear el mío propio. Un cuento donde yo soy la protagonista que siempre merece un final feliz porque lo planea, lo lucha y lo trabaja duro.

Por eso, aunque la vida me haya regalado ya 20.089 días, siempre celebraré mucho más esos 1.600, o sea, esos últimos 5 años de mi vida que me han convertido en lo que siempre quise ser.

Escribiendo este libro aprendí una palabra japonesa que devuelve la esperanza, *nankurunaisa*, y significa que al final todo va a estar bien. Me gusta pensar que siempre todo va a mejorar y por eso hoy te agradezco que todo lo cures. Sí, tiempo, ya sé que eres la mejor medicina porque me has enseñado que todo pasa, y que cualquier momento triste al final, con los años, ya no duele tanto.

Gracias tiempo por regalarme este libro que le recuerda tu valor a los que van diciendo que simplemente ya no te tienen. Y te prometo no volver a perderte.

Cambiar los nunca por los siempre.

Y mucho menos volver a decir que ya no te encuentro.

Desde hoy, pronunciaré más el ya mismo, el ahora, el hoy y el inmediatamente.

Gracias tiempo y hasta siempre,

Luzma

NO ME VOY A QUEDAR CON LAS GANAS DE:

Made in the USA
Middletown, DE
27 March 2021